英国エリート
名門校が教える

最高の教養

ジョー・ノーマン 著 | 上杉隼人 訳

THE SUPER TUTOR

The best education money
can buy in seven short chapters

文藝春秋

ウィンチェスター・カレッジを一三八二年に創設したウィカムのウィリアムへ。
ウィンチェスターはわたしの母校であり、この学校がなければ、本書は書かれなかった。

そしてわたしを育んでくれた文字通りの母校たる母のジュリア・ノーマンへ。
この人がいなければ、本書は書かれなかった。

〈英国パブリックスクールとは〉

イギリスに古くから存在する名門中高一貫校のこと。世界の大学ランキングにて８年連続１位のオックスフォード大学やケンブリッジ大学へ、卒業生の多くが進学。ウィンストン・チャーチルからボリス・ジョンソン、リシ・スナクまで、英国の歴代首相を40人近く輩出してきた。イートン、ハロウ、ウィンチェスター、ウェストミンスター、ラグビーなどの上位９校は、ザ・ナインと呼ばれている。全寮制で、映画『ハリー・ポッター』のロケ舞台にもなった。秘密主義のヴェールに包まれたエリートのみに伝授される〈世界最高の教育〉を求めて、世界中の皇族や上流階級、富裕層の子弟も入学している。

はじめに　INTRODUCTION

英国エリート名門校が推奨する「役に立たない学び」

一九九六年、十八歳の時、歴史の先生だったクレーマー博士の講演で、今のわたしの教育哲学を象徴するふたつの言葉を初めて耳にした。

ふたりがともに五年間を過ごし、ともに間もなく去ることになる学校。この学校を唯一無二の存在にしたのは何であったか、博士は自問した（その学校はウィンチェスター・カレッジ、イギリス最古のパブリックスクールのひとつだ）。

クレーマー博士の見解では、ウィンチェスター・カレッジをほかの学校と違うものにしたのは、「役に立たない学び」であった。

ウィンチェスター・カレッジの精神は、この考えに、すなわち「何かを学ばなければならないとすれば、それが面白いか、学ぶこと自体に価値があるからにほかならない」という考えに完全に基づいていた。これにより、生徒は毎日、どの試験のシラバスにも関係のない「補習」と呼ばれる授業を受けたし、週に一度はこの「補習」でエッセイの宿題が課された。これは毎週の宿題でいちばん大変だったが、どの科目の成績にも関係しなかった。にもかかわらず、わたしたち生徒には、学期末に「補習」で最高のグレードを得るのは、義務教育修了時の統一試験（ＧＣＳＥ）でどれだけ多くのA^{+}を取るより大事なことだった。

深夜二時にプラトンを読む理由

現代において、深夜二時にプラトンを読んでいる人のほとんどは、その翌日に試験があるからだと思われる。彼らがギリシャ哲学に興味があるのかないのか、すなわちそれに魅了されているのか退屈しているのか、定かではない。だが、「関心がある」、すなわち「利害関係を保持している」のだ。緊急の事態が発生し、夜中の二時にプラトンの『国家』を読んで何かを得ようとしている。

その翌日の試験は、言ってみればお金や利子のようなものだ。なぜなら、世界はどのように運営されるべきかが記された二四〇〇年前の本を読むことで得られる楽しみとは別に、外部の付随的なものから利益を手にできるかもしれないからだ。学校でしっかり勉強するようにと言われるのは、もちろん給料が高い、いわゆる「よい仕事」を得ることが期待できるという理由がひとつある。夜遅くにプラトンを読むごく普通の人は、「関心がある者」だ。明日の試験で「Ａ」評価を得るにしろ、五年後に一流企業に入社するにしろ、明確な目標を持って深夜にプラトンを読んでいる。

給料が高い「よい仕事」を得るために教育を施すという姿勢は、「道具主義」と呼ばれる。道具主義においてあらゆる教育は、あなたが六歳であろうと六十歳であろうと、よい仕事を得る、大学に入学する、流暢なハンガリー語を話してハンガリー人を驚かせる、などの手段に過ぎない。「役に立たない学び」はこれとは正反対だ。「利益を求めない学び」に取り組むのは、楽しいから、学ぶことそれ自体に価値があるからだ。

スプレッツァトゥーラ——優雅に水面を進む白鳥のごとく

もうひとつ、わたしが何度も立ち戻る考え方に、「努力していないのに華麗に見える」様子や「研究が重ねられているが、一見無造作に見える」ことを意味するイタリア語「スプレッツァトゥーラ」がある。この考えは明らかに矛盾を孕んでいる。注意して行うからこそ華麗に見えるのだし、努力なしに研究は成就しない。スプレッツァトゥーラの考えは逆説的に思える。わたしが思うスプレッツァトゥーラのもっとも適切なイメージは、水面を穏やかに優雅に進む白鳥が水面下でばたばた激しく足を動かしている様子だ。

スプレッツァトゥーラは、バルダッサーレ・カスティリオーネの十六世紀の著書『宮廷人』に見られる考え方だ。中世の宮廷では騎士道に通じた貴族や有力な家柄の嫡子が好まれたが（中世は大まかに紀元五〇〇年から一五〇〇年までの約千年間を指す）、世紀を重ね、古代ギリシャやローマの学問の復興（ルネッサンス［十四世紀から十六世紀］）もあり、文字の読み書きや知力が重視されるようになった。

カスティリオーネが理想とするルネッサンス人は、あらゆることをそつなくこなさなければならない。特に行儀作法といった、規則を設定しにくく、習熟度を容易に判断できず、教授することもむずかしいことを身につけなければならない。バルダッサーレ・カスティリオーネが造語した「スプレッツァトゥーラ」が示しているのはこういうことだ。なかには教えられないことも存在するが、たいていのことは教えられる。とりわけそのためにどれだけの努力が必要かを伏せておくようにすれば。

知ること自体に価値がある

考えてみれば、スプレッツァトゥーラは二十世紀の〝クール〟のイメージに近いものがある。〝クール〟という言い方は広く黒人アメリカ文化、特にジャズ音楽から入って来て、ジャズ・サックス奏者レスター・ヤング（一九〇九～一九五九年）によって広められ、音楽あるいは人生に対する、ある意味激しいが、どこかリラックスした感じを示す言い方として定着した。ジャズバンドは決められた通りに演奏するのではなく、即興性が求められるから、演奏しながら次はどうするか常に考えている。だが、それを決して観客に見せずに行わなければならない。「クールの誕生」（一九五七年）というアルバムを作り上げたマイルス・デイヴィスは、〝クール〟がどういうものかわかっていただろう。マイルスの演奏には何の努力の跡も見られない。純粋にクールだ。

ウィンチェスター・カレッジでは努力していると見られるのはカッコいいことではなかったが、それはどこも同じではないだろうか？　だが、教師と議論して説得力のある意見を唱えたり、身だしなみは冴えなくてもクラスでトップの成績を取ったりすれば、やっぱりカッコよかった。

わたしにとってスプレッツァトゥーラが個別指導や本書においてどんな意味を持つかと言えば、全体の九割が水面下に隠れて見えない氷山のように、わたしが話していることは、わたしが本当に知っていることのほんの一部に過ぎない、という印象を与えることだ。

だが、実はわたしはまったく逆のことを考えていて、氷山を逆さまにして隠れている九割をほぼ明らかにしたいし、実際は存在しないものがずっと深いところに隠されていることもぜひ知ってほしいと思っている。これでは知識を見せびらかしているようなものだが、それによって、一見無関係と思われるさまざまなことを知っていることは、それ自体価値がある、と皆さんに感じていただきたい、と心から願っているのだ。それでわたしはお金を得たいとは思わない。とにかく楽しんでいる。

美しいと感じられるものを

わたしは主に十歳から十三歳の子供たちを指導しており、この子たちの試験の結果や、この子たちを有名な伝統校に入れられるかどうかはさほど心配していない。生徒たちのご両親は高学歴で裕福で意識も高いから、この子たちが学業で失敗することはまず考えられない。それより、生徒たちが三十年後も覚えているようなことをわたしは教えられたらいいと思う。わたしは実用的なものだけを教える必要はないのだから。

ウィリアム・モリスは次のように述べている。

機能的であるとは思えないものだけでなく、美しいと感じられないものも、決して家に置かないこと。

同じことがわたしたちの心にも当てはまると思う。教育は中学や高校、大学、利用可能な多種多様な成人教育、公共図書館、さらにはオンライン（なんてことだ！）といった場所で行われるものではない。あなたの教育はただあなたの頭の中で行われるし、それは永遠に変わらない。あなたの人生の運転手は誰だ？　あなた自身にほかならない。

本書は若く熱心な教養人だけでなく、正式な教育を受けていない人々にも読んでほしい（もちろん、皆さんの非公式な教育は一生続く。おそらくわたしのように、自分でも気づかないうちに学んでいくだろう）。本書を通じ、「わたしの心」と呼ぶ穴の開いた大きなふるいからすべて出てきた、「面白いものを知るという本質的な価値観」に焦点を当てて、英語圏で利用可能な最高の学術教育を提供することを心がけた。

最後になったが、本書は訓練用の補助輪と考えてほしい。必要がなくなれば、蹴り飛ばしてしまって構わない。どの章から読んでもいいし、途中で読み飛ばしてもいい。興味がない章は完全に読み飛ばしても問題ない。

目次

Chapter 1

何を読むか
WHAT TO READ

1　英国エリート名門校の秘伝「教養のための必読リスト114冊」

イギリス最古級のパブリックスクールとオックスフォード大学で学び、長きにわたり英国エリート名門校入学試験に携わってきた教師として、あまたある本から必読の教養書をジャンルごとに厳選した。世界への深い洞察、すぐれた思考や創造性を育む114冊を、解説付きで紹介する。

ノンフィクション（原則、笑えない）

『サピエンス全史　文明の構造と人類の幸福』（上・下）ユヴァル・ノア・ハラリ　河出文庫

『ホモ・デウス　テクノロジーとサピエンスの未来』（上・下）ユヴァル・ノア・ハラリ　河出文庫

どちらも頭からすべて読むというより、手軽に読み進めるのがいい。ホモ・サピエンスは「川の近くにライオンがいる」と思い込むことでたがいに協力できるようになったとする章や、フランスの自動車メーカー、プジョーの物語を人々がいかに信じるようになったかを説く章（ともに『サピエンス全史』第1部「認知革命」）など、実に読み応えがある。

『ホーキング、宇宙を語る　ビッグバンからブラックホールまで』スティーヴン・ホーキング
ハヤカワ文庫NF

二十世紀屈指の偉大な思想家による物理学の本。概念的な難解さはあるが、随所に盛り込まれたエピソードに畏敬の念を覚えずにいられないし、愉快な話も楽しめる。

『フェルマーの最終定理』サイモン・シン　新潮文庫

十七世紀に数学者フェルマーが残した数学界最大の超難問「フェルマーの最終定理」に、二十世紀の数学者が挑戦する。直角三角形の斜辺の長さをc、ほかの二辺の長さをa、bとすると、$a^2+b^2=c^2$の三平方の定理が成り立つ（ピタゴラスの定理）が、フェルマーは2よりも大きな自然数nについて、$a^n+b^n=c^n$をみたす自然数の組み合わせ（a、b、c）は存在しないという定理を残した。この定理は確かだと、証明できるのだろうか？

『21世紀の資本』トマ・ピケティ　みすず書房

数世紀にわたる税務記録を見れば、資本（物を所有すること）が労働（生計のために働くこと）

以上に常に利益をもたらすことがわかる。ゲームは最初から仕組まれているのだ。そんなことはないと思われていたが、確かにそうであると本書で確証が得られる。

『プロテスタンティズムの倫理と資本主義の精神』マックス・ヴェーバー　岩波文庫

プロテスタントが多い北ヨーロッパは、カトリックが多い南ヨーロッパより裕福だ。なぜならプロテスタントは勤勉と貯蓄と自己規律によって天国に召されると信じているし、勤勉も貯蓄も自己規律も資本主義の美徳であるからだ。

『国家』（上・下）プラトン　岩波文庫

「ヨーロッパ哲学の伝統は、プラトン哲学の脚注に過ぎない」（アルフレッド・ノース・ホワイトヘッド）。プラトンは『国家』で理想的な国家像を提示するが、哲人王は民主主義よりもすぐれている、子供たちは出生時に親から引き離される、「高貴な嘘」によって下層階級の秩序が保たれているといった、ややファシズム的なものも読み取れる。

『ファスト&スロー　あなたの意思はどのように決まるか？』（上・下）ダニエル・カーネマン
ハヤカワ文庫ＮＦ

どこからでもよいから、一度に五から十ページくらいずつ読んでみよう。ダニエル・カーネマンは二〇〇二年のノーベル経済学賞受賞者であるが、本書を読めば、なぜ人は思考の過程において愉快な間違いをいくつも犯してしまうのか理解できるし、自分はそんな間違いをいくつもせずにおそらくすむ。

『天才！　成功する人々の法則』　マルコム・グラッドウェル　講談社

グラッドウェルの作品はどれも読みやすく、おそらく説得力もある。本書は、ダニエル・カーネマンの『ファスト＆スロー』の論理を要約して読みやすくしたものと言える。

『若い読者のための哲学史』　ナイジェル・ウォーバートン　すばる舎

過去二五〇〇年における主要な西洋思想家四十名についてコンパクトに読みやすくまとめた入門書。好きなところから読めばよい。

『哲学はこんなふうに』　アンドレ・コント＝スポンヴィル　河出文庫

フランスで大人気の哲学者によるコンパクトな哲学入門。数千年にわたって人々が悩んできた大きな問題（道徳、政治、愛、死、認識、自由、神、無神論、芸術、時間、人間、叡知）を各章で考える。

『若い読者のための世界史　改訂版』　エルンスト・H・ゴンブリッチ　中公文庫

章を短く区切り、わかりやすく編纂された世界史入門書。イェール大学の学生に向けたものだが、一般人も学び直せる。物語を読ませるようにして歴史を学ぶ構成は最近の主流とは言えないかもしれないが、時代を動かした事件や技術的な変化にも十分に触れている。

『利己的な遺伝子』リチャード・ドーキンス　紀伊國屋書店

「輝けるベストセラーであると同時に革命的な科学書」と称される本書は、ダーウィンの「生き残るのは変化に最もうまく対応できる者」という考えを超えて、競争は一人ひとりの行動のみならず、遺伝子の世界でも行われている、と説く。

『妻を帽子とまちがえた男』オリバー・サックス　晶文社

どの章（実際は二十四人の患者の物語）もよく書けている。人間の脳に生じうるさまざまな奇妙な問題を考察する。

『WEIRD（ウィアード）「現代人」の奇妙な心理』（上・下）ジョセフ・ヘンリック　白揚社

民主主義がヨーロッパで広がり、ほかの地域で広がらなかった理由は、カトリック教会が西暦五〇〇年から一五〇〇年にかけて、いとこ同士の結婚を禁じたからだ。その結果ヨーロッパでは、家族や氏族の結びつきが強い地域では見られない、「見知らぬ人たちとの結婚」が広まることになった（「奇妙な」の英語はweirdで、Wはwestern［西洋の］、Eはeducated［教育を受けた］、Iはindustrialized［工業化された］、Rはrich［裕福な］、Dはdemocratic［民主的な］を示す）。

『アルビオンの種子』デイヴィッド・ハケット・フィッシャー　未邦訳

アメリカの北部と南部の違いは、十七世紀にどんなタイプのイギリス人植民者が定住したかで決まったと言えるかもしれない。北部には勤勉で倹約的なWASP《ワスプ》（白人アングロサクソンのプロテスタント）が定住したが、南部にはイングランド内戦で敗れた怠惰な貴族たらが住み着いた。後者はアフリカ人奴隷を支配して封建制度をアメリカの地に再現するが、この制度は南北戦争で北部に敗れたことで崩壊する。

『国際秩序』（上・下）ヘンリー・キッシンジャー　日経ビジネス人文庫

ヘンリー・キッシンジャーは一九二三年、ユダヤ系ドイツ人の家庭に生まれ、一家は一九三八年にアメリカ合衆国へ移住した。一九四三年に同国に帰化し、同年に大学の学業を中断してアメリカ陸軍に入隊、ヨーロッパ戦線の対諜報部隊軍曹として従軍。その後、リチャード・ニクソン、ジェラルド・フォード大統領の大統領補佐官として五十年以上外交政策を掌握。キッシンジャーは多くの左派には冷酷な戦争仕掛人であり、民主主義の敵と思われている（一九七三年のチリ・クーデター画策は一例に過ぎない）。だが、これは歴史を作り出す方法を知る者による歴史の「ユーザーマニュアル」として読めばいい。

『君主論』ニッコロ・マキアヴェッリ　岩波文庫

『リヴァイアサン』（1〜4）トマス・ホッブズ　岩波文庫

『新訂 孫子』孫子　岩波文庫
以上三冊はどれもヘンリー・キッシンジャー『国際秩序』と同じ趣旨のもの。政治と軍事力の効力と限界について記されているが、古典であり簡潔である。

フィクション（あまり笑えない）

『動物農場　おとぎばなし』ジョージ・オーウェル　岩波文庫（『動物農場』角川文庫ほか）
動物たちが団結して残酷な農夫ジョーンズを追放し、自分たちの共同体を築く。一九一七年のロシア革命を子供向けの物語に語り直したといえるもので、最後には「すべての動物は平等である。しかしある動物はほかの動物よりももっと平等である」と冷ややかな結論も突きつける。二五〇〇年前に成立したとされるイソップ童話以来、人類史上、最高の寓話かもしれない。

『虫とけものと家族たち』ジェラルド・ダレル　中公文庫
動物保護家でもあるジェラルド・ダレルの回想録で、子供時代に家族でギリシャのコルフ島で過ごした思い出をつづる。島をめぐり、虫や鳥や動物や人間と触れ合う。児童書と思われているが、極上の美しい言葉がページを彩る。

『不思議の国のアリス』ルイス・キャロル　角川文庫ほか多数

これも児童文学の一冊だが、深い知識が詰め込まれている。ルイス・キャロルはオックスフォード大学の数学講師で、アリスの不思議の国のあちこちに秘密の知識をちりばめた。いくつもの科学や文化を象徴する言葉がキャラクターや出来事に充てられている。「赤の女工仮説」の概念、「みんな勝った。だからみんな賞品をもらわねばならん」というセリフ、「猫のない笑い」となって消えてゆくキャラクター、チェシャ猫などがそうだ。続編『鏡の国のアリス』もある。哲学に興味があるなら、どちらも読もう。

『ドリアン・グレイの肖像』オスカー・ワイルド　岩波文庫

美しい男性が魂を売り渡して永遠の若さを手に入れる。だが、自分の肖像画の容貌は老いて醜く変わり果てていく。道徳的な寓話だが、悪の道に下るのも十分魅力的と思わせてくれる。アートの本質について述べたワイルドの痛烈な一言で本書は幕を開ける。「序言」の最後にこうある。「すべての芸術はおよそ無用なものである」

『バーバリー・レーン28番地　メリー・アン・シングルトンの物語1』アーミステッド・モーピン　ソニー・マガジンズ

一九七〇年代サンフランシスコ。とびきり愉快なゲイの人たちの生活が面白おかしく語られる。アーミステッド・モーピンは、ディケンズがゲイだったらと思わせる作家だ。『メリー・アン・

シングルトンの物語』シリーズは、ゲイ（そしてトランスジェンダー）の生活を世間に認識させる上で重要な役割を果たした。

『タイムマシン』H・G・ウェルズ　光文社古典新訳文庫

すべてのSF小説は、作者の「今」を描く。一八九五年に書かれた本書も例外ではない。ウェルズの社会主義的な視点が未来に向けて悪夢の線を伸ばしていく。八〇万二七〇一年の未来において、人類は二種族に分かれている。すなわち、美しいが知力も体力も退化した地上種族エロイと、エロイの生活を支えるために地下世界で労働に従事させられていたが、今はエロイを捕らえて食肉とする獰猛な食人種族モーロックの二種族だ。最初の五章はタイムマシンについてのウェルズの講釈が続くだけなので飛ばしてよい。原著の初版時は誰もタイムマシンについて知らなかったので、この記述が加えられたのだ。

『パリ・ロンドン放浪記』ジョージ・オーウェル　岩波文庫

初期のオーウェル作品は、後期の作品より自伝的で面白い。『パリ・ロンドン放浪記』ではパリの貧困街の安ホテルで皿洗いをしたことや、ロンドンを浮浪者としてあちこちさまよった思い出を愉快に、冷静につづる。ほとんどの仕事はどんなものか（つまらない）、それに代わる仕事はあるのか（さらにひどい仕事だ）等々、最高に愉快な描写が楽しめる。

『ブロディーの報告書』J・L・ボルヘス　岩波文庫

わたしの好きな詩人フィリップ・ラーキン同様、ボルヘスは偉大なる図書館員作家だ。ただし図書館員のような知識を備えているという点では、ボルヘスはラーキンより明らかに上だ。なぜなら、『千夜一夜物語』のほか、日本の赤穂浪士の話やビリー・ザ・キッドの神話などの古い文献を巧みに利用し、自身の作品として再構成してしまうからだ。ボルヘスは物語を真剣に受け止める（が、必要以上に真剣に受け止めることはない）人たちに向けて、一本一本織り上げる。

『三つの物語』ギュスターヴ・フローベール　岩波文庫

ボルヘスと同じように、フローベールも歴史にまつわる物語を書き上げた。無学な女中の半生を描いた「まごころ」、聖人伝説「聖ジュリヤン伝」、新約聖書中のエピソードを扱った「ヘロヂアス」の三つの短篇だ。

『黙約』（上・下）ドナ・タート　新潮文庫

これを読んで大学で古典学を学びたいと思った。アメリカ東部ヴァーモント州の大学に、古代ギリシャの世界に入り込んでしまっているひとりの教授と五人の学生がいる。彼らは古代ギリシャの祭典を再現しようと、人間の生贄を差し出す……。深いテーマを備えたサスペンス小説としても楽しめる。

『宝島』ロバート・L・スティーブンソン　新潮文庫
人類史上、もっとも愉快な一冊。スティーブンソンは章を短く効果的に分けて見事な「クリフハンガー」（最後まではらはらさせる物語）を作り出した。この小説のおかげで、今も人々は海賊たちの物語に興奮する。のっぽで一本足のジョン・シルバーは忘れがたいキャラクターだ。

『ウォーターシップ・ダウンのウサギたち』（上・下）リチャード・アダムズ　評論社
ウェルギリウス『アエネーイス』のウサギ版。高畑勲のアニメ映画『平成狸合戦ぽんぽこ』に人生の悲劇を持ち込んだ長篇。ウサギたちは自分たちの巣穴を抜け出し、安住の地を求めて冒険の旅に出る。イギリスの田園地帯を舞台に繰り広げられる世界創造の壮大な叙事詩。同時にすぐれたリーダーに求められる資質や社会の構造について学び、争いによって自然が血に染まる光景を突きつけられる。

『第三の男』グレアム・グリーン　ハヤカワepi文庫
映画もすばらしい。一九四六年、第二次世界大戦直後のウィーンが舞台。売れない西部劇作家、ホリー・マーティンズは、混乱の時代に密輸業に手を染めてひと財産築き上げた昔の友人ハリー・ライムに仕事の依頼を受け、アメリカからこの地を訪れる。だが、ホリーはこの友人が関わる殺人事件の真相を解明することになる。ハリー・ライムは何をしたのか。一流のノワール・ミステリー。

『わたしを離さないで』カズオ・イシグロ　ハヤカワepi文庫

イシグロがノーベル文学賞を受賞したのは、イシグロ作品がSF小説として、成長物語として読み取れるうえに、哀愁も痛々しい心の叫びも感じ取れるからではないだろうか。語り手は自分がどこに閉じ込められているかわからず、固く心を閉ざしている。

『日の名残り』カズオ・イシグロ　ハヤカワepi文庫

これもまた絶望的に悲しい作品。隠れナチスであったイギリスの上級貴族に生涯仕えた老執事の物語。知らぬ間に社会の構造にとらわれていた執事が語り出す。

『グレート・ギャッビー』スコット・フィッツジェラルド　中央公論新社

イギリスの文芸評論家シリル・コノリーは言った。「彼（フィッツジェラルド）のスタイルは希望を歌い、メッセージは絶望と化す」。謎の大富豪がごく普通の隣人と友達になる。風刺、悲劇、最高に明快なアメリカン・ドリームの解説、文学史上もっとも騒々しいパーティー。約二〇〇ページ（村上春樹の翻訳は三五〇ページほど）に、ありとあらゆることが詰め込まれている。わたしの好きな一冊。フィッツジェラルドの傑作短篇集も実にすばらしい。

『恋』L・P・ハートレー　角川文庫

「過去は異国である。そこでは人々は、生き方がまるで違う」。一九五三年、ひとりの老人が、一九〇〇年の少年時代の夏の出来事を語る。二十世紀はどこに向かうのか？　老人は幻滅を抱く。

ジャージ・コジンスキー『庭師　ただそこにいるだけの人』（飛鳥新社）、**『ペインティッド・バード』**（松籟社　イェジー・コシンスキ名義）

『庭師　ただそこにいるだけの人』は、偶然抱いた知恵によって、超富裕層に、さらにはアメリカの大統領候補に上りつめる平凡な庭師の姿を描く。ほとんど夢のような風刺が淡々と繰り広げられる。『ペインティッド・バード』はまるで趣旨が異なり、ユダヤ人の少年がナチス占領下のポーランドをさまよい、人間がもたらすあらゆる残虐さと不可解さを体験する。

『猫のゆりかご』カート・ヴォネガット　ハヤカワ文庫ＳＦ

愉快なＳＦ風刺小説。すべては偶然が支配するとする宗教ボコノン教と、あらゆる液体を永久凍結させて世界を死滅させせる力を持つ発明品「アイス・ナイン」についての話。ヴォネガットは短篇小説でも辛辣なメッセージを突きつける。「ハリスン・バージロン」（『モンキー・ハウスへようこそ』ハヤカワ文庫ＳＦ所収）は、全人類の完全平等が成立し、人より秀でた人間が差別を受ける社会を描く。「ザ・ビッグ・スペース・ファック」は、人類存続のために精子を積んだロケットを宇宙に打ち込むというもので、アメリカのロケットへの執着を揶揄する。

『地衣騒動』ジョン・ウインダム　早川書房

感情を込めず、ひどく乾いた感じで語られるイギリスのSF小説。「長命薬」が発見された。それは「地衣」だ。わたしの好きなSF小説同様、本作もこの時代の社会と政治がもたらす影響を解き明かす。この時代、つまり一九五〇年代の社会と政治事情に踏み込んでいる。思いもよらずフェミニズム運動の流れも読み取れる。

「機械は止まる」E・M・フォースター　ちくま文庫（『E・M・フォースター短篇集』所収）

驚くべき近未来SF短篇（原書は一〇〇ページもない）。人々は焼け果てた大地に埋められたカプセルの中で生活し、機械を通してコミュニケーションをはかる。この時代にインターネット社会を予想したのだ。ケンブリッジの卒業生で、一九二〇年代に活動のピークを迎えたフォースターの自負心のようなものも読み取れる。たとえば「機械は止まる」の主人公クノの母ヴァシュティは、自身が住む南半球オーストラリアの「後期古典音楽」研究（およびその研究に邁進するという考えそのもの）に生涯を捧げている。

『アラバマ物語』ハーパー・リー　暮しの手帖社

アメリカ南部の人種差別に対し、小さな町の弁護士アティカス・フィンチが立ち上がる。身を盾にして、正義を実現しようとするのだ。この父の勇気ある行動が、幼い娘スカウト（ジーン・ルイーズ・フィンチ）の目を通して描かれる。映画もすばらしい。

『精霊たちの家』（上・下）イサベル・アジェンデ　河出文庫
マジック・リアリズム小説の傑作。三世代にわたる一族の叙事詩を通じて、二十世紀チリの激動の歴史を追う。

『ミス・ブロウディの青春』ミュリエル・スパーク　白水Uブックス
わたしも教師として、ジーン・ブロウディのような教師になりたい。ブロウディは自信を持って意見を述べる。芸術の価値を疑わない。だが、わたしは十代の少女たちをナチスに入隊させるようなことはしないと思う。ジーン・ブロウディ先生を愛した生徒たちによる、ひとりのすばらしい、だがおそろしい教師の愉快な物語。

『ケス　鷹と少年』バリー・ハインズ　彩流社
イギリス北部の貧しい鉱山町に住む少年が、鷹の卵を盗み出し、孵化して育てる。少年はケスと名づけた鷹とともに生き、自身の灰色の残酷な世界にかすかな美しい光をもたらす。ケン・ローチ監督の一九六九年の映画『ケス』もすばらしい。

カーソン・マッカラーズ『心は孤独な狩人』新潮文庫、**『悲しき酒場の唄』**白水Uブックス
「心は孤独な狩人」では、孤独で多感な少女がある酒場で聾唖《ろうあ》の男と触れあう。聾唖の男がその酒場に集まる者たちの話を聞く様子が、少女の視点で語られる。『悲しき酒場の唄』では、ある

女のもとに小男が突然現れる。女は小男に愛情を注ぎ、ふたりは酒場を開き、店は繁盛するが、そこに女の前の亭主が戻って来る。ともにひどく痛ましい話が酒場で切々と語られる。

『フランケンシュタイン』メアリー・シェリー 新潮文庫ほか多数

若き科学者ヴィクター・フランケンシュタインは、空を稲妻が切り裂く夜、墓を暴き、人の死体をつなぎ合わせ、人造人間を創造した。そして……おそろしいことになった。

『自負と偏見』ジェイン・オースティン 新潮文庫ほか多数

金銭目当てに結婚する女性たちを皮肉を込めて軽妙に批判する。一八一三年の名作古典。

『ジョナサン・ストレンジとミスター・ノレル』(I〜III) スザンナ・クラーク ヴィレッジブックス

児童向け長篇小説と言えるが、わたしが読んだもっともすばらしいファンタジー小説。十九世紀初頭イギリス、中世の魔術は科学によってもはや過去のものになってしまった。だが、ふたりのまるで異なる紳士が現れ、復活させる。

『ジーキル博士とハイド氏』ロバート・L・スティーヴンスン 岩波文庫ほか多数

奇妙なふたりが織りなすゴシックドラマ。ただし、ふたり(温和な科学者と殺人鬼)は同一人物。

『緋色の研究』コナン・ドイル　新潮文庫ほか多数
最初のシャーロック・ホームズの物語。史上最高の探偵に出会える。すばらしいキャラクター、心地よいミステリーに加えて、人生の教訓も味わえる……。

『ロビンソン・クルーソー』（上・下）ダニエル・デフォー　岩波文庫
二十八年、孤島にただひとり。実話であり、英文学史上、最初の本格的な小説。無人島は無人島のままではありえなかった。

『大いなる遺産』（上・下）チャールズ・ディケンズ　河出文庫
ディケンズの最高傑作にして、最も短い小説のひとつ。立身出世する者たちが過去に置き去りにし、二度と取り戻せないものがある。社会的地位の高い者たちが犯す大小の罪が暴かれる。

『ロージーとリンゴ酒』ローリー・リー　近代文芸社
著者が過ごしたイギリス、ウエストカントリーでの少年時代。暗い思い出も語られる。

ローリー・ムーア『セルフ・ヘルプ』『愛の生活』白水社、**『アメリカの鳥たち』**新潮社
小さな不完全な人生をつづった、小さな完璧な物語。「ムーアの短篇を読むと、彼女の物語があなたの人生より現実的と思えるかもしれない」（デイヴィッド・ロッジ）

『影との戦い　ゲド戦記1』アーシュラ・K・ル=グウィン　岩波書店

フェミニスト性が強く打ち出されたSFファンタジー・シリーズ。だが、このような惹句では生ぬるいほど奇妙なシリーズに思える。ル=グウィン翻訳の老子『道徳経』も参照。老子『道徳経』は、権力と幸福について、そして人生の意味について考える中国の古典。

『闇の戦い』（1〜4）スーザン・クーパー　評論社

現実世界に半分足を踏み入れた、児童向けの魔法ダークファンタジー。C・S・ルイスの作品をリアルなキャラクターで現代風に演出した感じ。

『ロリータ』ウラジーミル・ナボコフ　新潮文庫

多彩な才能の持ち主の作品。小児性愛者が過去を後悔することなく語り出す。ナボコフがつづるこの人物の苦闘を目にし、読者は悪魔を哀れむ。

『少年は残酷な弓を射る』（上・下）ライオネル・シュライヴァー　イースト・プレス

大量殺人を犯した息子の母親の驚くほど冷静な瞑想。母親であることについて、母親になることに多くの女性が抱くあいまいな感情について、母は語る。

『サイラス・マーナー』ジョージ・エリオット　岩波文庫

エリオットの最高傑作とは思われていないが（最高傑作は一八七一～一八七二年の『ミドルマーチ』で、多分これは英語で書かれた最高の小説だ）、個人的に好きな一作。何と言っても、エリオットの最短の長篇小説でありながら、最高に感動的につづられている。孤独な機織り（機械化が進み、長く続くことはない）は貯めた金貨を眺めるのを楽しみにしていたが、自分が住む森に捨てられた女の赤子を発見し、金貨より大事なものがあると知る。

『灯台へ』ヴァージニア・ウルフ　岩波文庫

モダニズム文学の傑作、二十世紀の最高の家族小説。誰もが知っているが、誰も言わないことが語られ、自らの存在を理解できない者たちのことを知る。

『素粒子』ミシェル・ウエルベック　ちくま文庫

比較的最近の作品（一九九八年）だが、時代を超えたものを感じさせる。「人間嫌い」の要素があるかもしれないが、それは性的な関心を示さない男性の心理に深く切り込んでいるからだろう。避妊薬によってもたらされた一九六〇年代の性解放運動を考え、これを一九八〇年代の経済の自由化とも比べている。結果として性解放運動と経済の自由化の両者によって一部の者がひとり勝ちし、大勢の敗者が苦汁を飲むことになった。

『リラとわたし　ナポリの物語1』エレナ・フェッランテ　早川書房

イタリアを舞台にした壮大な物語。学業を競い合うふたりの少女の友情が数十年にわたって描かれる。変化する社会を見事に描写するが、誰もが近くにいる人たちに影響を受けて同化してしまうと警告も発する。

『驚くべき天才の胸もはりさけんばかりの奮闘記』デイヴ・エガーズ　文藝春秋

アイルランド人の誰かが昔の物語で試みたと思われるが、デイヴ・エガーズも「胸もはりさけんばかりの奮闘」をしなければならなくなった。言ってみれば、帽子を壁の向こうに投げ込んでしまい、壁を登らなければならなくなったのだ。エガーズは本書でこれを実現した。『驚くべき天才の胸もはりさけんばかりの奮闘記』は自叙伝風の物語だ。主人公は相次いで両親を亡くし、二十一歳にして八歳の弟を育てることになる。悲惨な運命であるが、それを吹き飛ばす面白さがある。さまざまなポストモダンの技法も使われていて、とびきりユーモラスで感動的な物語として楽しめる。

『崩れゆく絆』チヌア・アチェベ　光文社古典新訳文庫

二十世紀の偉大なアフリカ小説。『闇の奥』と同じくらいコンパクトに仕上がった本書は、アフリカ人が短絡的に描かれることに対して異議を唱える。著者アチェベによれば、植民地時代にヨーロッパ人が行った残虐行為は、それ以前に世界中で見られた残虐行為の繰り返しだ。

『ヒトラーの弁明　サンクリストバルへのA・Hの移送』ジョージ・スタイナー　三交社

ユダヤ人のナチス・ハンター・グループが、アマゾンのジャングルに隠れたアドルフ・ヒトラーを発見。ヒトラーを文明の世界に連れ戻し、正義のもとに裁こうとする。ドナ・タート『黙約』同様、深刻なテーマを扱うミステリー小説。

『ウォーターランド』グレアム・スウィフト　新潮クレスト・ブックス

イングランド東部フェンズの沼沢地。この地で起こる数世代にわたる一族の悲劇。最初に、語り手の妻がスーパーマーケットの外で嬰児《えいじ》を連れ去る……。

『闇の奥』ジョゼフ・コンラッド　光文社古典新訳文庫

濃密なジャングルの描写がつづく二〇〇ページほどの『闇の奥』は、偉大なモダニズム小説の嚆《こう》矢《し》を成す。本書によって、ベルギーによるコンゴでのジェノサイドに近い植民地政策と、ヨーロッパの未知なる世界に対する渇望が明かされる。フランシス・フォード・コッポラ監督『地獄の黙示録』（一九七九年）は、ベトナムを舞台に本作を映画化したもの。

『小さきものたちの神』アルンダティ・ロイ　DHC

インド南西部のケララ州の田舎〝バックウォーター〟は、インドの楽園（七十年間共産主義者の支配下にあった）。この楽園を舞台に、禁じられた愛の行方をつづる魅力的な一冊。

『ネジマキ草と銅の城』パウル・ビーヘル　福音館書店

子供向け冒険ファンタジー。王の命を救うためにまじない師がネジマキ草という薬草を探す旅に出るが、まじない師が戻るまでに動物たちは王を元気づけようとして物語を話して聞かせる。チョーサー、ボッカチオ、『千夜一夜物語』のすばらしい入門書。

『アッホ夫婦』ロアルド・ダール　評論社（ロアルド・ダールコレクション9）

ツイット氏とその妻（アッホ夫妻）はおそろしく意地悪でおそろしい意地悪をたがいに仕掛けている。ふたりの残虐な意地悪の矛先はペットとして飼っている猿の一家や庭の木に近づく鳥たちにも向けられる。夫妻がやさしさを知ることはない。人間嫌いの極みが楽しめる一冊。

『魔女がいっぱい』ロアルド・ダール　評論社（ロアルド・ダールコレクション13）

子供向けホラー。世の中には魔女たちがうじゃうじゃいて、子供たちを捕まえて殺してしまう。表面的なストーリーはそうだが、大昔から子供たちをつけ狙うのは、魔女ではなく、国際的な策略なのだ。これこそ本当の魔女だ。

『少年』ロアルド・ダール　ハヤカワ・ミステリ文庫

ロアルド・ダールの自伝二部作の一作。辛辣に書き記された短い逸話の数々が、二十世紀中頃のイギリスのパブリックスクールにおけるおぞましい「いじめ」の実態をえぐり出す。ここからダールはおそろしいキャラクターをいくつも作り出した。ダールが笑えるなら、読者も笑える。

『単独飛行』ロアルド・ダール　ハヤカワ・ミステリ文庫

ロアルド・ダール自伝二部作の二作目。前半の「アフリカ赴任」では、シェル石油会社時代に東アフリカ支社に勤務した思い出が語られる（毒ヘビやライオンから逃げまわった！）。後半は空軍飛行士として中東やギリシャを転戦した冒険が語られる（ドイツ軍に撃墜された！）。だが、ダールはすべて心から楽しんでいるようだ。学校に行かなくてよかった、と本当に思っているのかもしれない。

『奇才ヘンリー・シュガーの物語』ロアルド・ダール　評論社（ロアルド・ダールコレクション7）

同じくダールの上級生向けの不思議で奇怪な物語集。スリの天才話、パブリックスクールでいじめられた思い出をつづった短篇のほか、「目を使わずに見る男」の物語も楽しめる。

『永遠の王 アーサーの書』（上・下）T・H・ホワイト　創元推理文庫

中世イギリスのアーサー王伝説について多くの者たちが書き連ねてきたが、本書は紛れもなくこの一五〇〇年間に書かれたもっともすぐれた一冊。同時に児童文学の傑作でもある。本書を読めば、偉大な魔法使いマーリンの指導を受けて成長し、のちにイングランドの王になるウォート少年のことがよくわかる。

『童話集　幸福な王子　他八篇』オスカー・ワイルド　岩波文庫

大人の作家も子供の世界を見事に描写した童話を作り出せるが、本童話集は驚くべきものだ。わがままな巨人、漁師とその魂、幸福な王子。同性愛者に転じたオスカー・ワイルドは迫害され、投獄された。ワイルドは息子ふたりとあまり一緒にいられなかったが、子供たちに深い愛情を注いでいたのだ。

『アイアン・マン　鉄の巨人』テッド・ヒューズ　講談社

大人の作家が子供の視点で書いた児童文学にも、詩人が書いた小説にも、豊かな表現と緻密な構成が楽しめるものは多い。イギリスの桂冠詩人であるテッド・ヒューズは、独特の詩的表現に加えて、児童文学に多大な貢献を果たした。

フィクション（笑えるかも）

『たのしい川べ』ケネス・グレーアム　岩波少年文庫

静かな川辺で人間を思わせるモグラやネズミがボートに乗って楽しく暮らしている。ヒキガエルは一見貴族のようだが、傲慢で、注意欠陥多動性障害（ＡＤＨＤ）と思われる。イギリスの階級制度の悪しき象徴。

『ふくろうくんとこねこちゃん』エドワード・リア　青心社
エドワード・リア初期の作品で、擬人化された動物たちのとりとめもない会話が繰り広げられる。エドワード・リアのナンセンスな詩は、ジョン・レノンをはじめ、多くの人に大きな影響を与えた。

エドワード・ゴーリー　作品を問わず何でも。
楽しいアメリカン・ゴシック。ティム・バートンに影響を与えた芸術家、作家が横目で死を観察する。児童文学作家フローレンス・パリー・ハイデのベストセラー「ツリーホーン三部作」に寄せた挿絵もすばらしい（エドワード・ゴーリーの作品は『うろんな客』ほかが河出書房新社から刊行されている）。

『キャッチャー・イン・ザ・ライ』J・D・サリンジャー　白水社
ティーンエイジャーの発明品。語り手の主人公ホールデン・コールフィールドは名門高校の寮を飛び出し、ニューヨーク市内をさまよう。奇妙な週末をすごく楽しく過ごすことで、大人の世界を垣間見る。

『ポスト・オフィス』チャールズ・ブコウスキー　幻冬舎アウトロー文庫
『孤独な娘』ナサニエル・ウェスト　岩波文庫
『ポスト・オフィス』は郵便配達員の男の、『孤独な娘』は新聞の「身の上相談欄」担当者である孤独な娘の仕事のきびしさをどこかユーモラスにつづる。ブコウスキーは下品、ウェストは気まぐれ。だが、どちらの作品も同じ問題を扱い、同系列の本として読める。ひどい仕事をしている時、どうすれば人に目を留めてもらえる?

『ガリバー旅行記』ジョナサン・スウィフト　朝日新聞出版

出だしがひどくもたついているので、ずっと飛ばして船が難破してリリパットに到着するところから読んでもいい。その後も退屈したときは次の渡航記まで飛ばしてよい。『ガリバー旅行記』には四篇の渡航記が記されているが、奇妙なことにガリバーは常に難破している。でも、ほとんどの人は「小人の国」の話しか知らないかも。それからジョナサン・コーが子供向けに書いた、美しい現代風のイラストが入った薄い本『ガリバー物語』もある。ジョージ・オーウェルは十八歳の誕生日を迎える前のある日、母にもらった誕生日プレゼントを開けずに、『ガリバー旅行記』を貪るように読んだという。『ガリバー旅行記』の「フウイヌム国」の動物の視点で人間を揶揄する描写は、オーウェルの『動物農場』(一九四五年)に大きな影響を与えた。

『ドン・ジュアン』(上・下)ジョージ・ゴードン・バイロン　音羽書房/鶴見書店

セクシーな要素と愉快な要素が均等に盛り込まれた、一大コント叙事詩と言えるかも。バイロンの「まえがき」と「献辞」がわたしは好きだが、それを読んで著者に共感できないなら、放り出したほうがよい。スペイン人はなぜそんなに性に貪欲であるか、バイロンは『ドン・ジュアン』第一幕に記している。「人々が騎士道と呼び、神々が不貞行為と呼ぶ行為／蒸し暑い場所ではごく普通に見られる」

『ハックルベリー・フィンの冒けん』マーク・トウェイン　研究社ほか

長く難解なハーマン・メルヴィル『白鯨』と並ぶ偉大なアメリカ小説。ハック少年は逃亡奴隷のジムとともにミシシッピー川を下り、ある地点で奴隷解放を認める北部の州を目指す……。ふたりは旅の途中で詐欺師の王と侯爵を含めて何人ものおかしな者たちに出会う。王は侯爵に言う。「こっちは町のアホウどもがみかたについてるじゃねえか。こんなちいさな町だ、あれだけ大ぜいいこっちについてりゃ、じゅうぶんだろ?」

『トリストラム・シャンディ』（上・中・下）ロレンス・スターン　岩波文庫

イギリスのメタフィクションは、一七五九年刊行開始の本書を嚆矢とする。ひとりのキャラクターの奇妙で愉快な独り言。マイケル・ウィンターボトム監督『トリストラム・シャンディの生涯と意見』（二〇〇五年）はこの小説を映画化しようとする人たちを追った近年の秀逸なドキュメンタリー。

フィクション（笑える）

『銀河ヒッチハイク・ガイド』ダグラス・アダムス　河出文庫
「まったく取るに足らない青緑の星」が、銀河バイパス建設のために取り壊された。その星の生存者たちによるばかばかしくも哲学的なSF小説。「銀河ヒッチハイク・ガイド」シリーズの続編『宇宙の果てのレストラン』『宇宙クリケット大戦争』『さようなら、いままで魚をありがとう』『ほとんど無害』（いずれも河出文庫）も面白い。命がある限り、必ず笑いは訪れる。

『こわいい動物』ロアルド・ダール　評論社（ロアルド・ダールコレクション14）
動物たちのこわいところをライム（韻を踏んだ言葉遊び）で表現。クェンティン・ブレイクの絵がぴったり合う。

『キャッツ　ポッサムおじさんの猫とつき合う法』T・S・エリオット　ちくま文庫
この詩にロイド＝ウェバーの音楽＆ストーリーを加えたのがかの有名なミュージカル。

「子猫」オグデン・ナッシュ（『猫文学大全』柳瀬尚紀編　河出文庫）
かわいい子猫の唯一の欠点は何か、一言で説明した四行詩。猫文学の巻頭を飾る傑作。

『スクープ』イーヴリン・ウォー　白水社
手違いでアフリカでの戦争を取材することになった「田園便り」担当の新聞記者。一九三八年に出版された、ユーモアたっぷりの風刺小説。

『ウースター家の掟』P・G・ウッドハウス　国書刊行会

ぐうたらな若旦那バーティー・ウースターが苦しい状況に置かれると、天才執事ジーヴスが救い出す。ウースター&ジーヴスの事件簿はたくさんあるし、ふたりは喜劇のシャーロック・ホームズとワトソンだ。ウッドハウスは喜劇のツボを完璧におさえている。

『真面目が肝心』オスカー・ワイルド　角川文庫

オスカー・ワイルドのいちばん愉快な戯曲であり、おそらく英語圏でいちばん愉快な戯曲。上流階級の愚かさをきらびやかに風刺。

『ローゼンクランツとギルデンスターンは死んだ』トム・ストッパード　ハヤカワ演劇文庫

メタドラマと大いなる笑い。シェークスピアの『ハムレット』の脇役ふたり。これから舞台に出ていって死んでしまうが、それまでの時間を舞台裏で冗談を言いながら過ごす。

『ボートの三人男』ジェローム・K・ジェローム　中公文庫

三人の途方もない愚か者が犬をお供にボートでテムズ川を下る。後期ヴィクトリア時代の代表的古典文学（一八八九年刊行）。

『モール君のおとなはわかってくれない〈part 1〉13 3/4歳の秘密の日記』『モール君のおとなはわかってくれない〈part 2〉ゆれる心』スー・タウンゼント　評論社

知識人を自任する十代の少年が、一九八〇年代のイングランドのミッドランズで苦しみながら成長する。ひどくひねくれていて、すごく笑える。

『キャッチ=22』（上・下）ジョーゼフ・ヘラー　ハヤカワepi文庫

第二次世界大戦のさなか、イタリアのアメリカ空軍基地を舞台にした驚くべき風刺小説。基地内で唯一正気を保つ人間が、なんとしても戦争から逃れようとする。

『ポートノイの不満』フィリップ・ロス　集英社文庫

異常な性欲を抱えて女性を追い求めるニューヨークのユダヤ系の弁護士。自身がその生活を非常に愉快にスキャンダラスに語る。二十世紀後半のアメリカ最重要作家の力業。

コミックとグラフィックノベル

『完全版 ピーナッツ全集』（1〜25）チャールズ・M・シュルツ　河出書房新社

『ザ・シンプソンズ』よりすぐれたアメリカ最良の漫画。幼年期の真実が語られる。子供の頃は面白いが、誰もが少なからず鬱々とした思いも抱えている。

『ペルセポリス』（Ⅰ・Ⅱ）マルジャン・サトラピ　バジリコ

イランで革命や戦争を経験した少女が、その後ヨーロッパに亡命するまでの回想記。

『フロム・ヘル』［新装合本］　アラン・ムーア、エディ・キャンベル　みすず書房

ヴィクトリア朝のロンドンをさまざまな方向から描き出す傑作。最初の連続殺人事件の犯人、最初のタブロイド紙、激しい貧富の差、闇の秘密結社、女性蔑視……。ページを閉じることができない。

『WATCHMEN』アラン・ムーア、デイブ・ギボンズ　小学館集英社プロダクション

スーパーヒーローは実在する。彼らは政治と完全に妥協し、人との接触を拒む者たちかもしれない。あるいはあまりに強大で、アメリカをベトナム戦争で勝利に導き、リチャード・ニクソンに終身大統領宣言をさせる者たちかもしれない。

『完全版　マウス　アウシュヴィッツを生きのびた父親の物語』アート・スピーゲルマン　パンローリング

アート・スピーゲルマンの父がポーランドのユダヤ人街、そしてアウシュヴィッツで体験したこ

とが、ネズミとネコの漫画によって語られる。コミック史に残る名作。

『アンカル』アレハンドロ・ホドロフスキー、メビウス（ジャン・ジロー） 小学館集英社プロダクション

奇想天外なSFオペラ。視覚的に強力な衝撃をもたらし、『ブレードランナー』にも影響を与えた。

『ファン・ホーム　ある家族の悲喜劇』アリソン・ベクダル 小学館集英社プロダクション

自分は同性愛者だが、父もそうだった。本自伝的コミックによって、アリソン・ベクダルはグラフィック・フィクションの感情表現を広げる。悲しく、美しい作品（続編に『あなたはわたしのお母さん？』があるが、こちらは未邦訳）。ベクダルは、ジェンダーバイアス測定に用いられる「ベクダル・テスト」の発案者としても知られる。「ベクダル・テスト」では、あるフィクション作品に、「最低でも二人の女性が登場する」、「女性同士の会話がある」、「女性同士の会話の中で男性に関する話題以外が出てくる」かの三つのことが問われる。

アジアの作家（日本版刊行にあたって付け足した）

『阿Q正伝・狂人日記 他十二篇 吶喊《とっかん》』魯迅 岩波文庫

失敗を成功にすりかえる「精神的勝利法」の衝撃！　阿Qの独白から一秒も目が離せない。

『82年生まれ、キム・ジヨン』チョ・ナムジュ　ちくま文庫

男性中心の社会・家族制度のもと、心を病んだソウル郊外の三十三歳の主婦ジヨン。彼女が精神病院で話す半生を聞き取ったカルテ。

『源氏物語』（一～九）紫式部　岩波文庫ほか

平安時代中期に成立した長篇小説。恋愛、栄光と没落、権力闘争などが描かれる。

『武士道』新渡戸稲造　岩波文庫

カリフォルニア州モントレーで書かれ、一八九九年フィラデルフィアで出版。日本以上に世界で評判の一冊。

『雪国』川端康成　新潮文庫

新潟県湯沢温泉に実在した芸者・松栄《まつえ》さんが駒子のモデル。ほぼノンフィクションらしい。

『金閣寺』三島由紀夫　新潮文庫

放火僧が吃音なのは実際の事件と共通だが、それ以外はほとんどフィクション。文章が秀逸。

『女のいない男たち』村上春樹　文春文庫
六編のうち「ドライブ・マイ・カー」が最良。映画もすばらしい。

ノンフィクションのウェブサイト

パソコンやタブレットやスマホで読書する時代だ。以下のサイトをチェックしてみることを勧める。

『ロンドン・レビュー・オブ・ブックス』(lrb.co.uk)
『ニューヨーク・レビュー・オブ・ブックス』(nybooks.com)
コンテンツの半分は無料で読める。アーカイヴには何十年にもわたって記事が保存されているから、興味のあるものがきっと見つかるはずだ。三〇〇〇語以上読むと、本を二冊読んだ気持ちになる。

XKCD(xkcd.com)
ランドール・マンローによるウェブコミックサイト。すべて一コマの漫画。多くのキャラクターは「棒人間」で描かれている。

マージナリアン（themarginalian.org）

以前はブレイン・ピッキング（Brain Pickings）の名前だった。マリア・ポポヴァが十六年（二〇二三年現在）かけて過去二〇〇年間で出版されたすぐれたフィクションとノンフィクションを紹介している。

ウェイト・バット・ホワイ（waitbutwhy.com）

ティム・アーバンとアンドリュー・フィンによって開設。人生のパートナーは何を基準に選ぶべきか？　パートナー探しを先送りする人はどうして先送りするのか？　あるいは人工知能やフェルミのパラドックス（宇宙人が存在するならすでに地球に接触しているはずだが、どうして未だにそれが確認されていないのか？）について、科学的に教えてもらえる。

スケプティカル・ドクター（skepticaldoctor.com）

イギリスの保守的な文化批評家、刑務所の医師、精神科医のセオドア・ダルリンプルのコラムやコメントを紹介するファン・サイト。すべて無料で読める。

アンハード（unherd.com）

保守、革新、両方の視点から一流の政治コラムが書かれているわたしの知る唯一のサイト。

プロジェクト・シンディケート（project-syndicate.org）
世界をどう立て直すか、政治、経済界のリーダーたちの論説が掲載されている。

わたしは工学を勉強したい（i-want-to-study-engineering.org）
（わたし自身はほとんど答えることができないが）興味深いむずかしい数学と論理の問題の答えに関するヒントが得られる。ケンブリッジの教授たちが大学生に出す問題を基に作り上げた。なるほど、むずかしいわけだ。

オックスフォードとケンブリッジの面接問題（sites.google.com/site/oxbridgeinterviewquestions）
オックスフォードもケンブリッジも入学にあたってさまざまな科目に関する質問を公開しているし、ありがたいことに模範回答も示してくれている。オックスフォード、ケンブリッジで勉強したいと思っている人たちは、両大学の指導方法を知ることができる。例をひとつ挙げよう。
「テントウムシは赤い。イチゴも赤い。なぜ？」

イートン・カレッジ・キングス奨学金の過去論文問題
（etoncollege.com/admissions/scholarships-and-awards/kings-scholarships/）
興味を引く哲学関連の問題が含まれた一般論文の過去問題が掲載されている。十三歳の知的水準の高さに驚くだろう。イートン校は少なくとも過去十年分の論文を公開している。このサイトに見られる論文の題材をわたしはよく教材にする。例えば次のような題材だ。
「戦争は常に最先端技術を所有した者たちが勝利するだろうか」

ウィキペディア (wikipedia.org)
膨大な状況を提示するこのサイトがなければ、本書の執筆は困難なものになった。ウィキペディアは情報革命が生み出したすばらしい成果のひとつで、公共の寄付によって成り立っている。わたしも寄付している。

エレクトリック・タイプライター (tetw.org)
著名な作家やジャーナリストによるさまざまな分野のエッセイを多数収録。

2 作品はどう表現されるか？ 古典とは何か？

文学の歴史は白人男性の天下だった

現代アメリカ作家ジョン・アップダイクはこんなふうに苦しそうに言う。

「これまで書いてきた本が、重い尾のようにずっとうしろに伸びていくんだ」

英語の文学となれば千年以上の歴史があるわけだから、とんでもなく長い尾を引きずっていることになる（ギリシャ文学、イタリア文学、ラテン文学はもちろん、インド文学や中国文学はさらに長い歴史を持つ）。

現代人は、昔の作者は白人男性ばかりでずいぶん偏っていたものだ、と思うかもしれないが、今もそれは変わらない。

「教養のための必読リスト114冊」（p14〜）に女性作家はほとんど見られないし、白人以外の作家もごくわずかだ。上流あるいは上位中間層（アッパーミドル）以外の作家もほとんど見られない。一二〇〇年におよぶ英文学では、アッパーミドルの白人男性以外の者が本を書くことは推奨されなかったからだ。アッパーミドルの白人男性以外の者は、読み書きを習う機会すら与えられなかった。本を書けることはもちろんなかったし、書いたとしても、印刷、製本を行える者も普通はアッパーミドルの白人男性だったから、アッパーミドルの白人男性以外の本が出版されることはまずなかった。

それゆえ、当時の人類の活動のほぼすべてに「白人男性」の名前が記された。背景には、白人男性が今から約五〇〇年前に、新世界と呼ばれた南北アメリカ大陸を征服、植民地化し、現地の資源と人々を搾取して富を築き上げ、それによって広く世界を知る時間を存分に手に入れていたことがある。

男性の支配そのものは一万年前の農業革命から始まる。ごく限られた男性が多くの農民の利益を奪い取るかたわらで、それにありつけなかったほかの男性に女性を支配することを認めた。フェミニストはこれを家父長制と呼ぶ。

本書の読者は、グローバルエリートとして活躍したいのならば、このような歴史的経緯を認識しておく必要がある。

「伝統的な貴族」と「知の貴族」

歴史上、二種類の貴族が存在する。

ひとつは生まれた時から権力と土地と資産を所有する「伝統的な貴族」だ。彼ら「伝統的な貴族」がほかの者たちを受け入れることはまずない。というのは、権力も土地も資産も先祖代々彼らのもので、どれも限りがあり、常に不平等に分配され、今後も不平等に分配されるだろうからだ。

一方で「知の貴族」も存在する。彼らも最近まである意味限られた存在だった。というのは図書館も文字が読める人も、歴史においてはさほど多くなかったからだ。一四四〇年頃にグーテンベルクの印刷機が誕生するまで、読み書きのできる数少ない者たち（修道僧だ）が何を読めたかと言えば、ほかに読み書きができる者たち（やはり修道僧だ）が写本したものだけだった。

もうおわかりと思うが、「伝統的な貴族」も「知の貴族」も、歴史においてほぼ重なる。「伝統的な貴族」だけが自由に使える時間を持ち、図書館や大学や出版業者に接することができた。そしてそのうちのご
く
わずかな者が「知の貴族」になれたのだ。

十九世紀、二十世紀になると、読み書きができる人たちが増え、図書館も次々に建てられた。公的資金が民衆の教育にあてられ、インターネットも誕生して知の世界が徐々に開かれ、かつてないほど多くの人たちが人類の叡知にアクセスできるようになった。では、それをどう活用すればいいか？

他人の立場になってみる――「創造力」と「想像力」

完全に自伝的とは言えない物語を書くのであれば、誰か別の者の視点を、たとえば「語り手の視点」を想像してみる必要がある。

物語の「語り手」も登場人物も、作者と同一であることはありえない。小説家が何かの物語を作り上げたのであれば（「小説」であれば、そういうことになる）、登場人物は自分たちを書いている人と異なる人生を経験しているはずだから、当然視点は書き手の視点と異なる。

「立場理論」によれば、「ほかの人になる」のはどういうことか、小説家はおそらく理解できない。

小説家は一体何をするのか？

ほかの人の人生がどんなものであるか、人に聞いたり、本を読んだりして、調べ上げるのだ。

そのあと、他人の立場になりきって物語を書き上げることになる。

ほかの人の人生は外からは見えるとしても、内側はどうなっている？

それを想像力で描き出すのだ。

物語を読む人も同じく他人の立場になって読み進める。主人公に自分を重ね合わせてみるのだ。読むことは書くことと同じくらい、創造的で、想像力が求められる。なぜなら、小説は薬ではないからだ。服用すれば、著者が処方するとおりに感情や思想を感じ取れるというものではない。

三番目の世界を想像するために、ひとりの人間が別の人間と交流することになる。

ジム・クレイスの小説『四十日』は、荒野でひとり四十日間過ごすイエス・キリストの思いを描いている。『新約聖書』にはキリストが荒野で四十日間過ごしたと記されているが、ジム・クレイスもまずその部分を読んだはずだ。ひとり荒野で過ごすのはどんな感じか、考えたかもしれない。少なくとも荒野に関する情報に目を通したはずだ。だが、クレイスは二十世紀のイギリス人だ。二〇〇〇年前に存在したかもしれない半神半人のキリストの思いを知る由はない。想像力で描き出したのだ。

時空を超え、性別や人種を超える

物語を紡ぐ者は、自分とまったく違う人物の人生を自由に想像できる。

ライオネル・シュライヴァーは『少年は残酷な弓を射る』(p31)で、この「自分とまったく違う人物の人生を想像できる」自由を次のように擁護するが、この自由はシュライヴァーだけでなく、ほかの作家も望むものだ(シュライヴァーはドイツ系アメリカ人作家だが、『少年は残酷な弓を射る』の語り手はアルメニア系アメリカ人だ)。

自分の頭の中に閉じ込められているものを開放できて、強い安堵感を覚える。小説も短篇小説も幻想を作り出すだけかもしれないが、物語はわたしたちを閉じ込めている障壁を取り払い、ほかの人の驚くべき現実を少し垣間見せてくれる。

この自由によって、作家も読者も、表面上異なる者たちとも結びつくことができる。というのは、わたしたちの思考や感情や視点は、わたしたちがこれまで営んできた生活だけでなく、民族性、性別、性差、階級といったものに強く影響を受けているかもしれないからだ。一方で、それはどれもわたしたち固有のものではない。わたしたちが属している属していないを問わず、どの集団にも共通して見られることだ。できる限り幅広い読書を心がけることで得られる喜びのひとつとして、現実世界におけるどんな重要なことも自分とはまるで異なる形で行うような人物が一〇〇〇年前に地球の反対側にいた、だがその人物はかつて自分が考えていたのと同じような思想を備えていたかもしれない、と思えることがある。

エッセイもそうだが、小説はおそらくすべての芸術形態でもっとも人間の内面を映し出す。映画やテレビでは、登場人物の言動から、彼らがどんな人物か推測する。だが、何をして何を言おうが、各登場人物はどのように見えるか、その言い方にどんな印象を受けるかによって、われわれは無意識に彼らの人物像を判断してしまう。映画やテレビで登場人物一人ひとりの考え方を知ることはない。

小説ではそれが可能だ。小説で登場人物の顔や体や声についての描写はなされるとしても、どれも（作者という）別の人間の内なる心からもたらされる。二十世紀の小説には「信頼できない語り手」も登場するが、たとえ語り手の言っていることが全面的には信頼できないとしても、ほかの人の心に近づけるし、入り込める。ほかの人も、ある意味自分が考えたり感じたりしていることと同じことを考えたり感じたりしているように思えるし、そうでもないようにも思えるが、いずれにしろ、時間や場所や性別や人種や階級の壁が溶かされて、ほかの人たちが何を思い、何を考え、何を感じているか、うかがい知ることができる。

カルタゴ生まれのリビア人テレンティウスは、ローマでテレンティウス家の奴隷として迎えられたが、主人に才能を認められて教育を受け、解放されて主人の名前を与えられ、のちに古代ローマを代表する喜劇作家となった。このテレンティウスは書いている。

わたしは人間であり、人間のことで受け入れられないものはないと思う。

小説の普遍的な効果として、外から見れば自分とはまったく違うと思える人の心のような場所に入り込めることがある。小説を読む者も書く者も同じだ。小説は何を読んでもそれができる。

カズオ・イシグロ作品の主人公は、英国貴族に仕える執事

日系イギリス人作家のカズオ・イシグロは、日系イギリス人の作家しか読まないだろうか？そんなことはない。イシグロが二〇一五年に発表した『忘れられた巨人』では、伝説上の人物、アーサー王の甥ガウェインが重要な役割をはたす。イシグロはおそらくアーサー王（五世紀後半から六世紀初めのブリトン人［白人］）伝説を読んだはずだが、神話に日系のアングロサクソン

人は登場しない。また代表作『日の名残り』（p25）でイシグロが書きつづるのは、一九三〇年代のイギリスで、ナチスを支持するイギリス貴族に仕えた白人の労働者階級の執事の物語だ。

ゼイディー・スミスは混血のイギリス人作家が書いた本しか読まないだろうか？　そんなことはない。スミスの『美について』は、Ｅ・Ｍ・フォースターが一九一〇年に発表した『ハワーズ・エンド』の現代版というべきものだ。Ｅ・Ｍ・フォースターは中流階級の白人男性で、一九二〇年代当時は公表できなかったが、同性愛者だった（その後一九六七年、「同性愛」はイギリスで合法化された）。ゼイディー・スミスとＥ・Ｍ・フォースター。ふたりはおたがいに非常に異なる作家であるが、実は同じ題材を基に、同じような物語を書いている。ここからわかるのは、物語がどのように作られ、作家がどのように作られるかは、性別や階級や民族性によって決まるわけではないということだ。

ほかの人たちはどんな生活をしているか？　それについて書いて、読んで、想像する。これが文明を作り上げる一助となる。

パキスタン系イギリス人作家カミラ・シャムシーは次のように述べている。

「ほかの人のことが想像できない」のは、「自分のことが想像できる」ことより、はるかに望ましくない。

科学と文学は、どう違うのか

物理学者のスティーヴン・ホーキングが、『ホーキング、宇宙を語る』（p15）の中に面白い話をつづっている。ある有名な科学者が講演の場で宇宙に関する自分の考え（地球は太陽を周回し、太陽は銀河系を周回している）を述べたところ、終了後にひとりの年配女性が異議を唱えたという。女性は地球は平らで、それを大きなカメが支えているのです、と指摘したのだ。「ああ」とその科学者は言った。「では、その亀は何の上に乗っているのですかな？」女性は答えた。「あなたは若いし、すごく頭も切れるみたいね。でも、ずっと下までカメが続いているのよ」

文学は科学とは違う。

現存作家は亡き作家に強く影響を受けるが、ある作品がどれほど偉大で真実に満ちていても、別の作品に取って代わることはない。文学作品は常にそこにある。読んだり読まれなかったり、愛されたり愛されなかったり、評判を高めたり減じたりしながらも、何世紀にもわたって存在し続ける。

ジョン・ミルトンが一六六七年に『失楽園』を出版してからすでに三五〇年が経過しているが、これほど長く優れた英詩を書いた人はいないと個人的には思う。八世紀に成立したとされる『ベーオウルフ』、十四世紀にジェフリー・チョーサーが書いた『カンタベリー物語』はどうかという人はいるが、一六六七年以降、『失楽園』以上の長篇詩は発表されていない。

ウィリアム・ワーズワースは一八〇五年頃までに『序曲』を書いているが、これは未完に終わった長篇詩の『隠遁者』の一部だ。ウィリアム・ブレイクは何篇か長篇詩を書いていて、一八〇四年から一八一〇年に書かれた詩の一篇には『ミルトン』と呼ばれるものがある。だが、ブレイクの長篇詩はどれも最近はあまり読まれていない。バイロンは十六篇からなる長篇叙事詩『ドン・ジュアン』（p39）を一八一九年から一八二四年にかけて発表した（未完）。男女関係をふんだんに扱い、バイロン一流の機知と冷笑によって当時のイギリス社会を痛烈に風刺していてとても面白いが、（神を思わせる見方や偉大さは感じさせるものの）『失楽園』ほどの気高さはない。

文学に関して言えば、「ずっと下までカメが続いている」。

すぐれた芸術作品がほかの作品に取って代わることはないし、改善をはかることもない。名作映画の続編を見ればおわかりだろう。

科学は日進月歩で進化を遂げているが、芸術はそうではないのだ。

反ユダヤ主義、殺人——作家たちの非道をどう評価するか

シェークスピアの戯曲『ジュリアス・シーザー』（一五九九年頃）で、ジュリアス・シーザーの葬儀で、友人マーク・アントニーは次のように述べる。

人の悪事はその人の死後も生き続ける。
善行はその人と共に葬られる。

だが、これは偉大な作家には当てはまらない。偉大な作家が残した作品（「善行」ということになる）は本として残るからだ。だが同時に、彼らが人生で行った「悪事」は決して葬られることはないのもまた事実だ。そして狼藉を働いた文学者の多くは男性だ。実際に人を殺《あや》めた偉大なる作家もひとりかふたりはいるし、戦争でその罪を犯した者も入れると、その数はもっと多くなる。だが、ここでわたしの好きな作家が犯したそれほどひどくない「悪事」について、少しだけ触れてみたい。本書執筆にあたって、崇拝する何人かの作家たちの生涯を調べていたところ、こうした目を背けたくなるような事実を知ることになった。だが、このあと述べる理由により、彼らの本を「教養のための必読リスト１１４冊」から削ることはしなかった。

詩人フィリップ・ラーキンは死後に友人あての個人的な手紙が公開されたが、そこには人種差別と女性蔑視が読み取れる（わたしはラーキンの詩にそうした要素を読み取れなかったが）。これによって一部の読者は幻滅することになった。

とはいえ、ラーキンの伝記を書いた詩人のアンドリュー・モーションは、ラーキンが私生活であからさまにした人種差別や性差別と受け取れる考え方には目をつぶることにした。

ラーキンだけでなく、当時の人は皆そうであった（ラーキンはほぼロアルド・ダールと同世代だ）という主張や言い訳も見られる。一九二二年生まれのラーキンが今生きていれば百歳になるが（一九八五年に没している）、それでもわたしの知り合いにはラーキンと同世代だがラーキンのような悪意を感じさせる思想とは無縁な人もいたことは指摘しておきたい。

『闇の奥』――人種差別が感じられる作品をどう判断するか

「教養のための必読リスト114冊」には、ナイジェリア出身のチヌア・アチェベの『崩れゆく絆』（p33）を入れた。このアチェベは、ジョゼフ・コンラッドの『闇の奥』（こちらもリストに入れた。p34）に人種差別的姿勢が見られると指摘する。アチェベの『闇の奥』に対する批判はおよそ次のようなものだ。

『闇の奥』にはほぼ全編にわたってコンゴ川を上る旅がつづられているが、主要な登場人物は白人で、アフリカ人はあくまで背景で、人間として扱われていない。

「アフリカ人の人間性が議論されることはないし、ヨーロッパの問題を際立たせることもない」とアチェベは述べる。

チヌア・アチェベはジョゼフ・コンラッドに異議を唱えたが、それはコンラッドが人種差別主義者だったからではなく、コンラッドの『闇の奥』に人種差別主義の思想が読み取れたからだ。アチェベが手厳しく指摘するように、偉大な本は単に「よく書けた文章」を寄せ集めただけのものではない。文学を真剣に受け止める者たちに、人生とはどういうものか、わたしたちはどんな人生を歩むべきか、道徳的枠組みを示すものだ。

コンラッドがアフリカ人にほとんど配慮することなくアフリカ小説を書き上げたのは、大きな失敗かもしれない。語り手のマーロウはもっとも望ましくない観光客で、外に目を向けるべき時に自分の内面を見つめている。だが、アチェベが糾弾した『闇の奥』の欠点は、十九世紀の「アフリカでの植民地拡大競争」に参加したほとんどの西欧人におそらく共通するものだ。当時アフリカに向かった西欧人の中には、未開の領土と彼らが見なす領土を誰よりも先に手に入れようとする者もいれば、アフリカ人を野蛮な精神から救い出すという大義名分を掲げてアフリカ人をキリスト教に改宗させようとする者もいた。しかし、大陸の現地の人々の願いに向き合おうとした侵入者はほとんどいなかったことは否定できない。

それでも『闇の奥』が偉大な小説であることに変わりはない。今指摘した欠陥はあるかもしれないが、あるいはその欠陥ゆえに、今なお読む価値がある。

すぐれた本はそれほど多くないし、作者本人の評判がどうであれ、深く考えることもなく偉大な本を拒絶するべきではない。そしてある作家が生前汚点を残したとしても、その作家が残した道徳的で読む価値のある本は、状況に応じてそこから救い出されるべきだ。ピーター・シェーファーの戯曲『アマデウス』(一九七九年)で、モーツァルトは皇帝ヨーゼフ二世に次のように語る。

陛下、お許しください。私は下品な男です! でも、わたしの音楽はそうではありません。

物語は何のためにある？

そもそも物語は何のためにあるのか。幸いなことに、わたしよりもすぐれた頭脳の持ち主たちが何人もこの問題について考えている。昔書かれたものではあるが、今なお読む価値のある物語あるいは文学とははたしてどんなものだろうか？　それについて、作家たちが残した印象的な言葉を以下に並べてみる。

物語は生きるための道具。

（ケネス・バーク）

よく考えられるが、うまく表現できないもの。

（アレグザンダー・ポープ）

※ポープによる真の「機知」についての定義。

文学は新しくあり続ける、ニュースそのものだ。

（エズラ・パウンド）

われらの文学は宗教に取って代わり、われらの宗教も文学に取って代わられる。

（T・S・エリオット）

T・S・エリオットは次のようにも述べる。

文学の意義は泥棒が誰かの家に押し入って事を済ませようとするあいだ、その家の犬に投げ与える旨みたっぷりの骨のようなものだ。

エリオットは、すぐれた文学はあらゆる段階で機能する、と言っている。すぐれた本（本章ではどれも非常に古い本について話している）を一冊読んでそのすべてを理解できると思ったとしても、それはおそらく間違いだ。

物語における「7つの基本プロット」

物語がどう機能するか知りたいなら、クリストファー・ブッカーの『七つの基本プロット』（未邦訳）を読んでみよう。冒頭の「はじめに〜歴史的記述」がもっとも刺激的だ。『ベーオウルフ』の前半に、罪のない人々をむさぼり食う怪物グレンデルに英雄ベーオウルフが戦いを挑む場面があるが、ブッカーはこの「はじめに〜歴史的記述」において、この場面は一二〇〇年後に製作されたスティーヴン・スピルバーグの映画『ジョーズ』（一九七五年）と本質的に同じであると具体例を挙げて説明する。確かに『ジョーズ』の主人公も、罪のない人々をむさぼり食う巨大ザメに立ち向かう。

ビアトリクス・ポターの『ピーターラビットのおはなし』も『ベーオウルフ』と基本的に同じ

だとブッカーは言う。ピーターラビットは自分にとって怪物であるマグレガーおじさんを殺しはしないが（子供向けの話だからできないということもあるだろう）、マグレガーおじさんのもとから逃げ出す。

クリストファー・ブッカーが考える物語の「七つの基本プロット」を以下に記す。

1　怪物から逃れる（『ベーオウルフ』、『ジョーズ』、すべてのホラー映画）
2　赤貧から大金持ちに（『シンデレラ』）
3　探求（ギリシャ神話においてコルキスの金羊毛を求めてアルゴー船で航海をした英雄たちアルゴナウタイの話）
4　旅をして帰還（『不思議の国のアリス』）
5　喜劇（『空騒ぎ』、『お熱いのがお好き』）
6　悲劇（『ハムレット』、『オイディプス王』）
7　再生（『クリスマス・キャロル』）

なぜ物語を読むかと言えば、楽しみたいからであり、人生について教えを得たいと思うからだ。もろろんそれは他人の人生だが、読むことで自分の人生についての教訓が得られるのだ。楽しめて、人生についての教訓を同時に得られるものはそれほど多くないが、確かに世界中にある。

W・H・オーデンは言う。

詩人は望む。どこかの名産チーズのようにある地域で作られる（書かれる）ものであるが、あらゆる場所で高い評価を得たい。

何世紀にもわたり存在し続ける偉大な本とは？

現在の地球上には約八十億の人がいるが、これまでに生まれ、没した人の数は一〇七〇億に達する。現存する者のほうがずっと少ないのだ。現在生きているわたしたちの人数に対し、すでに没した人たちの数は十三倍になる。すでに没している作家たちの作品は現存する作家の十三倍読まれているかと言えば、そうではない。ここではそのことについて話してみたい。

すでに亡き人たちが残した本を読むことで、学びにおいて、そして人生において、正真正銘唯一絶対最大限の効果がもたらされると疑いなく言える。わたしはそう考えるが、なぜか？　すでに没した詩人Ｗ・Ｈ・オーデンの言葉がその答えになる。

記憶されるべきだが不当に忘れ去られる本はある。だが、記憶されるべきではないが記憶される本はない。

すでに没した作家の本をたくさん読むとはどういうことか？　その時代の愚書は印刷物として

すでに残っていないはずだから、今読めるものは当時最高の本だったということになる。これは大いに喜ぶべきことで、われわれは今、古今東西の名作が読めるのだ。

古典とは何か？　伝えなければならないことを、今も伝え続けている本だ。だから今もニュースとして存在する。『ハリー・ポッター』シリーズは、聖書を除いてこれまで書かれたどの本より売り上げは上回ったが、これから百年後まで読まれつづけるかどうかで真の評価が定まる。はたして聖書のように二千年後まで読み継がれるだろうか？

そしてイギリス文学を徹底的に学ぶのであれば、一〇〇年前に書かれた本のみならず、一二〇〇年前に書かれた本も読まなければならない。シェークスピアはまだ四〇〇年ほど前に亡くなったばかりだから、一二〇〇年の歴史においては「近世」の作家に分類される。

ホメロス『オデュッセイア』が偉大な理由

シェークスピア以前の四〇〇年間の英語は、「中（期）英語」と呼ばれる。この時期に、チョーサーのほか、いわゆる「ガウェイン詩人」（作者不詳の『ガウェイン卿と緑の騎士』〔十四世紀後半〕を書いたとされる）が活躍した。それ以前四〇〇年間の英語は、「古（期）英語」、または「アングロサクソン語」として知られる。一〇六六年のノルマン人（フランス語を話した）による征服以前の時期で、この頃同じく作者不詳の長篇物語詩『ベーオウルフ』が書かれた。シェイマス・ヒーニーによる『ベーオウルフ』の現代語訳を読めば、（チョーサーの『カンタベリー物語』とミルトンの『失楽園』と並んで）英語で書かれたもっとも偉大なる詩を存分に感じ取ることができるし、J・R・R・トールキンの『指輪物語』が『ベーオウルフ』に大きな影響を受けていることもわかる。

が、なぜ偉大な本と思われているかと言えば、著者が亡くなったあと何年も偉大であると目されているからだ。そしてもっとも偉大な本は、ほかの偉大な本に影響を与える。ギリシャの詩人ホメロスの『オデュッセイア』（紀元前八世紀頃成立）はローマの詩人ウェルギリウスの『アエネーイス』（紀元前一世紀頃）に、『アエネーイス』は（『聖書』とともに）イタリアのダンテの『神曲』（十四世紀）に、『神曲』はミルトンの『失楽園』（一六六七年）に、それぞれ影響を及ぼした。

このようにホメロスの『オデュッセイア』はほかの偉大な作品に影響を与えてきたわけだが、これは何世紀にもわたって存在しつづける偉大な本にしかできないことだ。偉大なる本はその後何世代にもおよんで伝えるべきことがあり、伝えられた各世代の者たちもそれを残しておきたいと思うからだ。

ホメロスは集合体、ダンテは個人——原始叙事詩と文学叙事詩

ホメロスは『イーリアス』（トロイア戦争について）と『オデュッセイア』（その後のオデュッセウスの長い旅路について）の二篇の叙事詩を残した。

ホメロスのこの二篇の詩が今も読まれているのは何より注目に値するし、なぜこの二篇の詩が

今も読めるかと言えば、当時の西欧人のほとんどが読み書きのできなかった時代、ホメロスにはこれができたからだ。

実は「ホメロス」と呼ばれる詩人はひとりではなく、ほかに何人もいる。ホメロスの詩篇に見られるふたつの出来事――ギリシャ人とトロイア人の戦争（『イーリアス』）と、ギリシャの英雄オデュッセウスのイサカへの旅（『オデュッセイア』）――は、どちらもホメロスが書き留めたとされる頃からさかのぼること、四〇〇〇年前に起こったことだ。

どちらの物語も複数の詩人たちによって四〇〇〇年間語り継がれたが、ペンとインクで記録されたわけではない。わたしたちが「ホメロス」と呼ぶすべての詩人たちが、数十万語、数万行を超えるこのふたつの詩篇を「暗記」して次世代に伝えたのだ。わたしたちがホメロスと呼ぶ詩人は、二篇の叙事詩『イーリアス』と『オデュッセイア』を書き留めた数十人、数百人の詩人たちのひとりに過ぎない。

一方、ウェルギリウス、ダンテ、ミルトンは、いずれも文学叙事詩の著者だ。彼らはホメロスの偉大なる原始叙事詩二篇から多大な影響を受けたが、識字能力を備えていたので、何世紀にもわたる口頭伝承に頼ることなく、独自に叙事詩を創作し、ひとりで書き上げることができた。

もし食べものにたとえるのなら、原始叙事詩はひとりではなく、何世代にもわたって家族が作り続けてきた古いレシピのようなものかもしれない。それに対して、文学叙事詩は二〇一三年にニューヨークでドミニク・アンセルが発明したクロナッツ（クロワッサンとドーナツのハイブリッド）、あるいは一九八二年にイタリアのベローナでアルナルド・カヴァラーリが考案したチャバタのようなものかもしれない。

中世の物語と古代の叙事詩

本当に深いものをさらに深く掘り下げると、次のようなものに突き当たるだろう。

1　グリム童話

特にこの逸話から読まなくてはいけないということはない。フィリップ・プルマンによる優れた英訳がある。プルマン自身もすばらしい作品を残している。

2　北欧神話

オーディン、トール（ソー）、ロキは、北欧神話の神々の一族。三人は勇気と愚行と裏切りと血に満ちた物語を通じて、戦いで死ぬことを夢見つつ、世界の終わりを待ち望む。彼らはマーベルのスーパーヒーローではなく、ヴァイキングの神々だ。

3　イソップ寓話

紀元前六世紀にアイソーポス（イソップ）が作ったとされる寓話。動物や生活雑貨や自然現象を主人公にしたものがよく知られる。ざっと目を通しておきたい。

4　ベーオウルフ

最古最高の英語詩。クリストファー・ノーラン監督の「バットマン三部作」（『バットマン　ビギンズ』（二〇〇五年）、『ダークナイト』（二〇〇八年）、『ダークナイト ライジング』（二〇一二年））に強い影響を与えた。ベーオウルフは若き勇士として巨人グレンデルを、老王として炎を吐く竜をそれぞれ倒し、二度にわたって自国デネ（デンマーク）を守り抜く。

5　千夜一夜物語（アラビアンナイト）

シェヘラザードが語る物語を最初から最後まで読んでもいいし、よく知られる「アリババ」「シンドバッド」「アラジン」の話を読むだけでもよい。

6　オウィディウス『変身物語』

オウィディウス（紀元前四三〜紀元後一七年）によるギリシャ・ローマ神話の総まとめといえるもので（ギリシャ・ローマ神話の登場人物が動物や植物や鉱物や星座や紙など様々なものに変身する物語が集められている）、とにかくあらゆる話が詰め込まれている。ちょっとむずかしいと思うようであれば、スティーヴン・フライの『神話』三部作をお勧めする。

7　オウィディウス以外のローマ詩人

ウェルギリウス（**『アエネーイス』**はローマ帝国建国の公式神話だ）、**ホラティウス**（**「風刺詩」**にはワインのことや、物事をシンプルに保つことも記している）、**ガイウス・ウァレリウス・カトゥルス**（紀元前八四頃〜紀元前五四年頃。**『歌集』**には失恋についての短い詩のほか、敵をひどく罵倒するごく短い詩が収録されている）、**マルティアリス**（四〇頃〜一〇四年頃。人生をすべて理解していると思える二行の警句で知られる。「どこにでも住む男はどこにも住んでいない」という言葉も残している）。

8　ミルトン『失楽園』

1〜7を読み終えたのであれば、ジョン・ミルトンの英語で書かれた最高の詩篇『失楽園』に挑戦すべきだ。『失楽園』を乗り越えたら、ウィリアム・ブレイクとジェームズ・ホッグを読みたくなるだろう（どちらもかなりエキセントリックだ）。さらに詩を読みたければ、ホメロスの『イーリアス』『オデュッセイア』、ダンテの『神曲』、ウィリアム・ワーズワースの『序曲』がある。

9　サー・トマス・マロリー『アーサー王の死』

アーサー王神話の権威ある英語版だが、約五〇〇年前に書かれたもので読み通すことはむずかしく、最後の二、三篇をまず読んでみよう。T・H・ホワイトは『永遠の王　アーサーの書』（p36）で、『アーサー王の死』を現代の物語として見事に蘇らせた。

10　シェークスピア作品

初期のシェークスピア作品を読めば、血が飛び散るし（**『タイタス・アンドロニカス』**）、喜劇も楽しめる。後期のシェークスピア作品では両方楽しめる。だが、中期シェークスピア作品には、五篇の偉大な悲劇**『ハムレット』**（すばらしい物語。わたしのイチ押しだ）、**『リア王』**、**『マクベス』**、**『オセロー』**、**『ロミオとジュリエット』**がある。

11　歴史関連書

エドワード・ギボン『ローマ帝国衰亡史』がおすすめだ。次のローマ人によるものもある。

リーウィウス『ローマ建国史』（権威がある）
タキトゥス『年代記』『アグリコラ』『ゲルマーニア』ほか
スエトニウス『ローマ皇帝伝』
プルタルコス『対比列伝』（英雄伝）ほか（シェークスピアが愛読していた）

次に挙げるギリシャ人によるものもある。

トゥキュディデス『歴史』
クセノポン（クセノフォン）『ギリシャ史』ほか

ヘロドトス『歴史』ほか（ヘロドトスは特に歴史の父と称されるが、実際は相当な山師だ。『歴史』には犬と同じくらい大きな蟻や宝石を身にまとったワニが出てくる。もちろんでっち上げにすぎない）

12 アリストテレス、プラトン、ソクラテス

アリストテレス（**『詩学』『弁論術』『ニコマコス倫理学』**など）、あるいはアリストテレスの師**プラトン**（**『国家』**など）によるものは何でもおすすめできる。プラトンの師ソクラテスのものは書き残されていないが、**ソクラテス**の教えはプラトンがほぼ書き留めている（**『ソクラテスの弁明』**など）。

13 『旧約聖書』『新約聖書』

聖書は『旧約聖書』（ユダヤ教）、『新約聖書』（キリスト教）をともに読んでおきたい。英語版はジェームズ王欽定訳が望ましい。デイヴィッド・コゾフは『聖書物語』（未邦訳）で『旧約聖書』をわかりやすく語りなおしている。

14 キリスト教以外の宗教関連書

以下の本も世界の思想を知る上で重要だ。

『クルアーン（コーラン）』（イスラム教の聖典）
『道徳経（タオ・テ・チン）』（アーシュラ・K・ル＝グウィンの翻訳がある［**老子『道徳経』**］）
『荘子』
『バガヴァッド・ギーター』（ヒンドゥー教の聖典のひとつ）
『チベット死者の書』パドマサンバヴァ
ブッダ（釈迦）の言葉
孔子の言葉

ここに挙げたものの多くはひとりの著者がまとめ上げて書き残したものではないから、厳密には「著作」と言えないかもしれない。よって現代向けに書き直されたものを、たとえば過去五十年間に出版されたものを読んでみるのがいいかもしれない。こうした物語を読むうえで考えておくべきことは、どれも書き留められる以前から存在していたから、決定版は存在しない、ということだ。よって、どう読むかはあなた次第だ。二種類のバージョンを読んでみて、どこがどう違うのか考えてみるのもいいかもしれない。

すばらしい物語は読み継がれる限り、読んだ人の心に何十年も残り、何世紀も生き続ける。わたしたちは偉大な語り手たちに触れられる時代に生きていることを幸運に思うべきではあるが、忘れてはならないのは、（偉大なる作品が書物として書き残されていなかった時代も含めて）

これまでずっとそうであったということだ。J・K・ローリング、フィリップ・プルマン、ニール・ゲイマンに何を読んだらいいかたずねることができるとしたら、あるいはすでに亡きJ・R・R・トールキン、T・H・ホワイト、C・S・ルイスに同じ質問ができるとしたら、どんな答えがもらえるだろうか。きっと自分たちの物語を読む前に、まず最初の物語を読むように勧められるはずだ。彼らが子供の頃に読んだ物語を読んでみよう。それがあったからこそ、彼らは作家になれたのだ。

昔の物語を読んでみよう。すべてそこから始まったのだ。

未来の古典はどうすれば見つかる?

ナオミ・オルダーマンの『パワー』を購入した。本書について論じたものを目にする限り、将来の古典になる可能性も秘めているように思えたからだ。オルダーマンの『パワー』は、すべての女性に、恐怖を受けるとデンキウナギのように強力な電流を放つ力が宿り、それによって世界がどのように変わるかを描いたSF小説だ。

マーガレット・アトウッド『侍女の物語』、P・D・ジェイムズ『トゥモロー・ワールド』、ヴァージニア・ウルフ『オーランドー』、メアリー・シェリー『フランケンシュタイン』(p29)、マーガレット・キャヴェンディッシュ『光り輝く世界』と並び、女性作家による古典SFになるかもしれない。

ひょっとするとナオミ・オルダーマンの『パワー』を読んで、とてもいいと思えず、がっかりすることになるかもしれない。だが、そうはならないと思う。いいと思った本は購入前にネットや新聞で信頼できる書評にいくつか目を通すようにしているから、まるで期待外れだったということはほとんどないのだ。

（図書館もあるから、面白いかどうかよくわからないという時は図書館を利用するとよい。図書館の司書に聞けば、この本のあとはこの本を読むといいといったことも教えてもらえる。書店で面白そうな本を探すこともできる。好みに合いそうな本を十分ぐらい手あたり次第見てみよう。だが、書店員がそんなことをするとまずい。それをしてわたしはアルバイト先のウォーターストーンズ書店から追い出されてしまった）

カント、アリストテレスは相当な読書家だったが

すべての本を読了できた人間など存在しない。それだけの時間がある者もいない。グーグルによれば、世界には一億三〇〇〇万冊の本がある。本をすべて読んだ者はいたかもしれないが、それは大昔の出版点数がずっと少なかった時代だ。

図書館の司書をきっとうんざりさせたこの者たちが誰かを知ることはできないが、イギリスの詩人サミュエル・テイラー・コールリッジや、ドイツの哲学者イマニュエル・カント、あるいはイギリスの物理学者トマス・ヤングの名前が挙げられることはある（すべて十八世紀の人物だ）。

あるいは古代ギリシャの哲学者、科学者のアリストテレスも相当な読書家だったといわれる（アリストテレスは紀元前四世紀の人物なので、ずっと楽であったろう）。

よって、読むべき本をまるで読んでいないとしても、気にする必要はない。だが、今読んでいる本をとにかく読み終えてしまいたいと思っているようであれば、その本を楽しめていないのかもしれない。その本について来週の試験で何か書かなくてはならないとしても、それは放り出して、別の本を読むのがいい。

読書はやっぱり楽しむものだ。

Chapter 2

どう読むか
HOW TO READ

1 自分の好きなものを読んでいい

わたしが勧めたいのは、いいと思うものを読んでみること。

これはいいかもという本が一冊もなければ、どんなリストも最初は隅々までチェックする必要はない。読みたいと思う本が見つかれば買ってみよう。あるいはありがたいことに、ほかの人に買ってもらえることもある。そしてＣｈａｐｔｅｒ１で述べたとおり、近くの図書館で借りることもできる。

本はすべて買って読む必要はないが、わたしは興味がある本を目にすると、図書館では借りずに買ってしまう。というのは、わたしは本のページを折ったり、何か書き込んだりすることがよくあるからだ。図書館の本にそんなことをしても今は罰金を科されるくらいですむが、一九六〇年代に劇作家のジョー・オートンとパートナーのケネス・ハリウェルは、イズリントン公立図書館の本数冊に（おかしな）落書きをしたとして収監された。

読書は好き勝手にするもの

本は何時間も読まなければならないというものではない。読書は走力を競いあうようなものではないのだ。慈善行為でもない。誰かのために本を読む必要もない。読書は完全に自分だけのものだし、そうでなくてはならない。ひとり好き勝手に行うものだ。

毎日、毎週末、就寝前など、好きな時に、読みたいと思うものを、自分のペースで読んでみよう。

『パワー』（p77）や『ハリー・ポッター』を読んでみるのもいいだろう。常に心に留めておいてほしいが、ほかにも本はあるし、昔書かれたものの中には何冊か（はっきり言えば、たくさん）すぐれたものがある。

いつも本を速く読もうとする人は、詩篇や古典を少しゆっくりと味わってみるといいかもしれない。その場合、理解力を磨く必要があるだろう。十分な理解力が伴わないと、その良さがよくわからない。ストーリー（物語）も話の流れを追うだけではない。どちらが速く最後のページにたどり着くか、誰かと競いあうようなものではないのだ。大切なのは、ほかの人の気持ちになって（トールキンの作品を読めば「ホビット」の気持ちになって）過ごしてみることだ。できる範囲で構わないから、そのようにしてなるべく本と長く過ごしたい。残りのページ数が十ページを切ったところでお腹に痛みのようなものを感じることがあれば、読むべき本を読んでいると考えて間違いない。その本を急いで読み終えようとしてはいけない。好きな本はいつでも読み直せるが、読まなかった状態に戻すことはできないからだ。一度読んでしまえば、もう元に戻すことはできない。

つまらないと感じる本は、投げ出してもよい

本が自宅に届いたら、あるいは地元の図書館で本を見つけたら、次のようにしてみよう。

その本が届くのを待っているあいだ、書名があなたの頭の中をよぎることがあったと思うが、本を開いて、最初のページを、あるいは次のページを読んでみよう。

やっぱり心がつかまれるか？

であれば、読み進めよう。腰をおろして読むのがいいが、最初のページあるいは次のページを読んで響くものがなかったら？

であれば、いつもしないようなことをしよう。（きっと）すでに耳にしていると思うが、いつもするようなことをいつもしていれば、人生はつまらなくなるからだ。

すべて読む必要はない。惹かれない本は読まずに投げ出してしまおう。その本は十年後も手に入るし、その頃はあなたも変わっていて、ひょっとするとその本を楽しく読めるかもしれない。でも、今は放り出してしまおう。あきらめが肝心だ。でも、そのあいだに別のことをしてほしい。非常に重要なことだ。

ほかの本を探すのだ。

わたしは読者の皆さんにさまざまな本を勧めているが、実は九割しか読了できていない。（古すぎる、長すぎる、あまりにも奇妙であったり退屈であったりしたといった理由で）一割は投げ出しているのだ。いつか自分が放り出してしまった本にもう一度挑戦したい。その前に死んでしまうかもしれないが、急ぐ必要はない。

また、宿題のように本を読む必要はない。読書に疲れていないか？　であれば、リヴィングでテレビを観てもいいし、ネットをチェックしてもいいし、ほかの人間とおしゃべりしてもいい。テレビやネットや人間からも、知りたいことがたくさん学べる。

何か気になる、尊敬する人が勧めているという本があれば、どれも読んでみよう。そのうちの一冊に、あるいはＣｈａｐｔｅｒ１の「教養のための必読リスト１１４冊」に挙げた一冊に惹かれたということがあれば、ほかのことはすべて忘れてその一冊を読み進めよう。すでにこの世にいない著者はみんな自分の作品を手に取ってもらえることをひたすら望んでいる。やっと自分の本が読んでもらえるのだ。

電子画面を見るな

紙の本と電子書籍のディスプレイはどう違うのか。

紙の本は安い。お風呂に落としても問題ない。紙の本でメールは送れない。紙の本に電気は必要ない。現代文明が崩壊しても、紙の本は読める。

一方、電子書籍をリーディング・デバイスやパソコンの画面で読むことの問題は、周りの何か別のものがいつでも目についてしまうことだ。もっと面白くて、その場で楽しめるものが常に読めてしまうのだ。

最近の調査で、紙の本の読み方と電子書籍の読み方は違うことが明らかになった。人間の目の動きは、本を読む時とディスプレイ上の文字を追う時とでは違うのだ。紙の本を読む時は、（西洋の横書きの文書の場合）E字型に動く。左から右に一行ずつ読んでいく。ところがパソコンやタブレットやスマホなどでの読書になると、目がF字型に動くのだ。最初の数行は目を左から右に動かしてじっくり読み取るが、あとは左側のマージンに沿って目が降りていくだけ。確かにコンピューターやタブレットやスマホでの読書は集中力が落ちるかもしれない。実際わたしもそう感じる。

人類は数千年にわたって本から情報を得てきた。一方、電子書籍の歴史はまだ二十年くらいだろうか？　よって、書かれたものに本気で集中したいのであれば、印刷しよう。

ディスプレイ上の読書は戦いだ。見たこともないような超巨大企業が次々と立ちはだかる。巨大企業はあなたと同じような人が書いた文や撮影した写真であなたの注意を引いて利益を上げている。というのはその文や写真の脇には別の企業バナー広告がちらちらしていて、巨大企業はこの広告料を得ているのだ。巨大企業はディスプレイ上にどこかで見たような文や写真をちりばめて、ユーザーの注意を引きつけようとする。そうすればその脇で宣伝しているものをユーザーに買ってもらえるからだ。

あるいは二〇一六年のアメリカ大統領選やイギリスがＥＵ離脱を決めた国民投票ではハッキングが行われたとされるが、そのようにして人々にそれが真実であると信じ込ませることもできる。アメリカの行動分析学者バラス・スキナーは言っている。

新しい行動を定着させるには、その行動を頻繁に取らせる必要がある。

だから毎日、本を読もう。そして毎日、コンピューターや電子デバイスを見るのはやめよう。もうひとつ心に留めてほしいのは、コンピューターやタブレットやスマホの発明者たちは、自分の子供にそういった電子デバイスを使わせないようにしているのだ。スティーブ・ジョブズは、お子さんたちはｉＰａｄをどう思うでしょうか、とたずねられ、うちの子は誰も使ったことがない、と答えたという。シリコンバレーの幹部たちは子供たちにソーシャル・メディアへのアクセスを禁じている。タバコ会社の幹部がタバコを吸わないのと同じことかもしれない。人間の脳は二十五歳頃までは柔軟で順応性が高い、つまり環境に染まりやすいと認識しているのだ。

すでに二十五歳以上で、子供の教育に責任がないとしても問題は残る。あなたの頭に何かを詰め込みたい者がいるとすれば、それは誰か？　あなたか？　それとも別の人か？

2 人生の支えとなる本に出会うには

そのような本と巡りあえる時間は限られている

ほとんどの人が三十歳くらいで新しいジャンルの音楽を聴くのをやめてしまう。内にこもって嗜好が固まってしまい、古い木戸のように意固地に心を閉ざしてしまうのだ。

本についても同じことが言えると思う（同じでないはずはない）。どうかご注意いただきたいが、実際これをわたしも経験した。わたしは四十歳過ぎだ。まだ経験していない人にも当然起こりうる。だから悠長に構えていてはいけない。三十歳以下の人は（緊急ではないが、のんびりしていられない）、これからの人生では意味のあることで頭を満たすようにしよう。そして三十歳以上の人は、新しいものを読むように心がけよう。

わたしは固く信じているが、教養はほかのことをすべて忘れてしまったあとにも残る。教養のある人たちと話をしたいのなら、Ｃｈａｐｔｅｒ１に記した「教養のための必読リスト１１４冊」

にある本を何冊か読んでみることだ。すでに見てきた通り、先人たちの名著も含まれている。これが文学にできることだ。先人と言葉が交わせるだけでなく、彼ら先人とほかの先人たちについて語り合う。ただの先人たちと話すのではない。人類史上最高の思想を備えた人たちと話すのだ。最高の賢人たちと話せるのだ。

ジョン・キーツはこの思いを、「チャップマン訳ホメロスとの最初の出会い」に書いている。キーツは苦々しく記しているが、ホメロスの『イーリアス』も『オデュッセイア』も、ジョージ・チャップマンによる一六一六年の翻訳版を手にするまで読んだことがなかったのだ。「チャップマン訳ホメロスとの最初の出会い」をキーツが詠んだのは一八一六年、二十一歳の時だ。この五年後にキーツは二十五歳で没している。

どうか心に留めてほしい。人によるが、人生の支えになる本に巡りあえる時間は思っているよりかなり限られているのだ。

Chapter 3

どう書くか

HOW TO WRITE

1　3分の1の時間をかけて構想を練る

どんな文を書くことも創作だ。

テキスト・メッセージを打つのであれ、叙事詩をつづるのであれ、ある語を別の語の後に置く行為を通じて、わたしたちは無数の小さな選択を休まず行っている。すべて創造的な選択だ。だからこそ上手く書くのはむずかしい。学校にいても学校を離れてもきっといろんなことが求められるだろうが、文章の創作は何よりもむずかしい。もちろん数学よりもむずかしい。数学は最高レベルの研究を除けば、正しいか間違っているか、単純な二者択一の問題に答えればよい。数学は完成できる。文章の執筆はそうはいかない。

執筆に百点満点はないのだ。少なくとも目に見える形で示すことはまずできない。

学校で「A」は取れるかもしれないが、もっとうまく書けたかもしれないとの思いがいつまでも残る。シェークスピアですら非の打ちどころがない作家というわけでは必ずしもない。あくまでこれまで出てきた最高の作家であるにすぎない。コーランは全能の神によってムハンマドに口述されたものであると考えれば、一点の陰りもなく値打ちがあると言えるかもしれない。だが、それは同時にわたしの主張が正しいとはからずも証明することになる。かくもうまく書くのはむずかしいのだ。神の助けなしに、完璧に書き上げるのは不可能だ。

わたしにはネヴィン先生という英語の先生がいた。ネヴィン先生は学生に毎週作文を書かせて四十点満点で採点してくれた。数週間かかったが、わたしはとうとう四十点満点を取ることができた。その瞬間、アレキサンダー大王のように、征服すべき世界をすべて征服したように思えた。だが、隣の席の学生は四十三点もらったことに気づいた。

ネヴィン先生は正確に数値化できないものは数値化しないという、風変わりで非論理的ではあるものの、究極的には賢明と言える方針を貫いていたのだ。

普通の教師は理想の八割程度の出来を最大値として設定し、それ以上の点数は付けなかった。だが、ネヴィン先生の採点方法は違っていた。評価は数値化しない、少なくとも上限はつけない、としていたのだ。一方で学生の努力を強力に推進すると同時に、学生の頭脳が創出するものに対し、自分を含めて教師が何も考えずに評価を下すのはどうなのか、と疑問を呈した。だが、それでもわたしも満点を超える評価を得たいと思った。

詩人ロバート・ブラウニングは述べる。

手が届く以上のものがつかめるはずだ。
でなければ、天国は何のためにある？

完璧は不可能だ。少なくとも人間には。アッラーは言うまでもなく、シェークスピアよりもすぐれたものは残せないかもしれない。だが、この事実に同時に励まされる。わたしは生きているうちは地球外の星にたどりつけないかもしれないが、その地球外の星をたよりに着実に夜道を歩くことができるのだ。

ドイツの詩人で翻訳家のマイケル・ホフマンは述べる。

英語では常に努力しているように思わせないといけない。英語は基本的に罠をしかける言語だ。階級の罠、方言の罠、感情の罠を仕掛ける。ほとんどスパイのための言語であって、人々が一体何を考えているのか探ろうとする。

英語を話すイギリス人として肯定も否定もしないが、口を開いたり紙に何かを書こうとしたりするたびに誰かに評価を下されているのではないかと不安になるのは無理からぬことだ。いかにもその不安は正しい。常にあなたは誰かに評価を下されている。何を言っても何を書いてもすべて誰かに評価される。想像しうる限り最高に厳格でやさしさのかけらもない裁判官に判決を下されるのだ。

その裁判官は、あなただ。

そんなあなたにアドバイスしたい。何か間違いをおかしてしまうのではないかとびくびくおそれながら執筆するようなことがあってはならない。そして今は何か書こうと思う必要もない。その前にやらなければならないことがあるのだから。

何を誰に書くか——そのためにも頭を休める

何を言いたいのか、誰に伝えたいのか、まず考えてみることだ。このふたつが明確に意識できれば、言いたいことをどのように言えばいいかわかる。なぜなら形式は機能にしたがう。逆はない。

何を言いたいのか、誰に伝えたいか、よく考えてみることで、どのように文章を書くか、実際に計画を練ることになるのだ。これについては、Ｃｈａｐｔｅｒ４「エッセイをどう構成するか」、Ｃｈａｐｔｅｒ５「ストーリーをどう語るか」でくわしく説明する。なぜならエッセイを書くか、ストーリー（物語）を書くかによって、どのように文章を書くかが決まるからだ。

だが、次のことは常に念頭に置いてほしい。誰もがほぼ例外なく、巧みに自分を表現して話すことができる。誰もがほぼ例外なく、たとえ文章は苦手でも、自分の考えを十分に表現できる筆力を備えている。だが、その上で効果的な話し方や効果的な文章の書き方を本当に考えられる人がどれだけいるかとなると、かなり少ないのだ。

だからこそ、エッセイを書き出す前に（あるいはストーリーや詩や「途切れることのない文章」を書き出す前に）、考えることをやめ、まったく何も考えず、頭を休めなければならない。宿題をしているかもしれない。試験を受けているかもしれない。自分のために何か書いているのかもしれない。そんな時、「考えることをやめ、まったく何も考えず、頭を休めなければならない」というアドバイスは一層重要になる。なぜなら、もしエッセイやストーリーや歌詞を書かせてもらえないなら、書かせてもらえれば絶対にいいものが書ける、と思うからだ。

量より質が大事――書き過ぎてはいけない

賢者は言いたいことがある時に話すが、愚か者は何か言わなければならないから話す。

（プラトン）

試験を受けているのであれば、これでは対応できないかもしれない。試験では何かを言わなければならないし、書かなければならない。でないと、質問に答えることも答案に書き込むこともできず、不合格になるか、単位を落としてしまう。

大事なのは量ではなく質だ。あなたは読み終えるのが惜しい本をどれだけ読んだことがあるか？　失礼ながらほとんど読んだことがないのではないか？　そしてあなたが古書店でマイナーな本を漁るのを趣味としていれば話は別だが、そうした「読み終えるのが惜しい本」を書いたのは、おそらくプロの作家だ。巧みに読者の注意を惹きつけて、何十万部、何百万部と著作を売り続けているベストセラー作家のひとりによるものだろう。

なるほどあなたはプロの作家ではないかもしれないが、プロの作家たちと同じことができる。何も言わず、息がつまるくらい長い時間そこに座り、筆は執らず、自分は一体何が言いたいのか、じっと考えてみるのだ。事前に自分はこれをするのがいいと思うことをざっと紙に走り書きしておくのみにして、いざ書き出す段になったら、それをもとに、言葉はなるべく少なくして、最大限意味があることを伝えること。

くれぐれも書き過ぎてはいけない。

考えてほしい。七分を超えるが誰もが認めるすばらしいポップソングは一体何曲あるだろうか？　ジェームス・ブラウン「ザ・ペイバック」、プリンス「パープル・レイン」、ストーン・ローゼズ「アイ・アム・ザ・レザレクション」、ドン・マクリーン「アメリカン・パイ」、テイラー・スウィフト「オール・トゥー・ウェル（テイラーズ・ヴァージョン）」、ハリー・ニルソン「ジャンプ・イントゥ・ザ・ファイアー」など、せいぜい十曲ほどだ。

それに対して三分を切るすばらしいポップソングがどれだけある？　数千曲はくだらない。十八世紀の批評家ジョン・ラスキンは言っている。

質の高いものは偶然できるわけではない。例外なく知的な努力が積み重ねられた結果として生まれる。

アリストテレスも言う。

品質は行為ではなく、習慣だ。

だが、品質とは、何より自分が本当に言いたいことを考えることだ。

執筆時間の三分の一は、考えることに充てよ

何を書くか考えるとすれば、総執筆時間のおよそ三分の一を充てる必要がある。少なくとも最初はそうだ。ラフなメモを作り、思いついたことを矢印などの記号を使って走り書きしておこう。どんな形でもいいからアイデアを残しておけば、いつでも書き出すことができる。まだ完全な形でなくていい。この時点では。

プロ・サッカーが発足したばかりの頃、コーチは選手に一週間ボールを与えずに練習させた。そうすれば選手はボールに触れたくなり、土曜日の試合でいいプレイができると考えたのだ。言うまでもなく、これは愚かなことだった。何かを極めたいなら、それを実際に練習するしかない。だが、わたしも当時のコーチの考え方には一理あると思う。

何かを書くにあたっては、書き出すまでにできるだけ長く時間を置くようにしたい。まずは考

えること、それから自分を批判的に見つめること。心理学者のウィリアム・ジェイムズも言っている。

非常に多くの者たちは単に自分の偏見を整理しているだけで、「自分は考えている」と思っている。

まずは、執筆に使える時間の約三分の一を使って、よく考えてから書き始めるのがよい。

誰に対して伝えるか?

計画を立てる段階で、誰に対して伝えるかも考えなければならない。手紙にしてもメールにしても宿題の作文にしても、自分が書いたものを誰が読むのか、おおよその見当はついている。だが、はっきりわからないこともある。たとえば英語の入学試験の問題を誰が採点するのか、明確にはわからないのだ。この本を読んでくださっている方も一人ひとりはわからない。そうではあるが、誰が読んでくれるのかはっきりわからなくても、その人たちについて何かは知っている。

試験の採点者はどんな人たちかといえば、自分の教科をこよなく愛し、それを教えることに人生を捧げている人たちだ。だが、現実問題として、採点者は夏休みに時間を作り、厳格なガイドラインに沿って、十分な報酬など期待できないにもかかわらず、どれも同じような答案を何百枚も読んで採点するのだ。そんな採点者に同情せずにいられないだろう。採点者は答案提出者に何を求める？　答案提出者のテキストの読み方や味わい方を考察することで、失いつつある自分の学習意欲を再燃させようとしているのだ。答案提出者には、今まで誰も言及していないことを提示してほしいと思っている。そんな答案が出てくれれば採点者は汗ばむ額を平手打ちされた思いがして、つぶやくはずだ。おお、ついに誰かが言ってくれた。

誰かに読みたくないものを読ませるのはかなりむずかしいことで、わたしは読ませる側のむずかしさも、読む側のむずかしさも経験してきた。本書の読者の年齢層は定かではないが、基本的にはイートン校入学を考える人たち向けの本だから、おそらく十歳以上、おそらくは十二歳以上になるだろう。だが、二十代から四十代、五十代の人たちも読んでくれていると思う。わたしは授業では生徒たちに大人に話すように話しかけている。わたしは、生徒たちが何について知っていて、何について知らないか、決めつけることはない。だが、生徒たちがやる気に満ちていることはわかっているから、同じことを繰り返し言って退屈させることはしたくない。

ここでもうひとつアドバイスしたい。文章を書くにあたっては、あなたの「声」を見つけるのだ。あるいは「トーン」や「声域」を見出そう。誰に話しかけるかによって、「声」は自然に変化する。「文章の声」もしかり。

わたしは大声で話したりすると、かなりくだけた言い方や文法的に正しくない言い方もしてしまう。逆にフォーマルな場では言わなくてもわかると思うものはかなり省略してしまったり、「わたしは」と何度も繰り返してしまったりする。

　昔から新聞のコラム執筆者の文章に適用されるテストがある。「わたし」が含まれる文の数を数えて、文の総数で割るのだ。パーセンテージが高いほど、その執筆者は自己陶酔度も高いということになる。そんな文章は読みたくないだろう。それを書かずにすませる方法はあるだろうか？

2 自分の「声」の見つけ方

話すように書いてみよう

話すように書いてみよう。有望ではあるものの、まださほど高い評価を得ていない作家は、「自分の声を見つけよ」とよく言われる。『オズの魔法使い』のドロシーのように、わたしの声はわたしの中にいつもある、と簡単に言えるだろうか？　そうありたい。

よく考えれば、文章の書き方、特に点の打ち方や句（フレーズ）の使い方が重要だ。少なくとも点の打ち方などには心の動きが示される。

深く響く本を読み直す

亡くなった親族の遺品と同じで、残しておきたいものだけ残し、あとは捨ててしまうのがよい。

広く読もう。広く読めないのであれば、深く読もう。

わたしはF・スコット・フィッツジェラルドのほぼ全作品を一年かけて貪り読み、熟考を重ねた。フィッツジェラルドの最初の三作は驚くべきことに大ベストセラーとなり、アメリカの人口が一億二〇〇〇万人だった時代に、二〇〇〇万人もの「悲しい若者たち」に読まれたのだ。だが、その三作はどれもすごくよかったというわけではない。

フィッツジェラルドはそれだけの成功を収めていたにもかかわらず、三作目の長篇小説『グレート・ギャツビー』（p25）を書いた。『グレート・ギャツビー』は、わたしが思うに、英語で書かれた二十世紀最高の小説だ。自分に響く本を読み直すことは、自分の読者に響く本を書くおそらく最良の方法だ。

好きなように話す

同時に、別の声域や音調を使って書けば、違う話し方ができる。

結局、書くことはすべて「腹話術」だし、そうあるべきだ。なぜなら、誰もが自分の声で書くのではなく、自分より頭がよくて親切で面白い人の声で書くからだ。少なくともそんなふうに書きたいと誰もが思っている。

書くために「新しい話し方」を学ぶのはいい考えだ。なぜなら、

1　書くことを楽しく学べれば、書くことがむずかしくなくなる
2　外国語を学ぶよりずっと簡単

だからだ。

それにあたって、ケイリー・グラントの映画を観ることを勧めたい。ブリストルのホットウエルズ出身のグラントは自分の声を作り上げて、当時最高の男性映画スターの座に昇りつめた(ジョージ・クルーニーもすばらしいが、ケイリー・グラントを真似している)。以下のケイリー・グラントの言葉を見れば、わたしがここで何が言いたいかよくわかるだろう。

誰もがケイリー・グラントになりたい。わたしもケイリー・グラントになりたい。

自分がなりたいと思う人のまねをして、ついにその人になることができた。いや、その人がわたしになったのかも。

つまり、あなたの好きなように話せるということだ。これだと思う話し方をしてみればいい。

書くように話してみよう

ワイク先生という、もうひとりの優秀な英語の先生に習った。ワイク先生はある日の授業で、「僕は話す時に、心の中で紙に印刷された句読点があるべきところに完璧に打たれた文章をいつも目で追っています」と話してくれた。ワイク先生はまるでプロンプターに映された文字を読み上げているような話し方をした。もっと正確に言えば、ワイク先生がワイク先生の速記者で、自分が発する言葉を想像上のページにすべて書き留めているように思えた。

話すように書くと言っても、常に句読点を気にするような話し方を意識して書かなければならないというわけではない。そうではなく、話す時のリズムに耳を傾けてみよう。文のどこにポーズを置くのが自然だろうか？　聞こえてくるリズムを紙の上に再現しつつ、ここだという場所に句読点を打つのだ。

手書きしてみる、間違いを恐れない

これも言ったと思うが、文章を書くにあたって間違いを気にしてはいけない。間違いがあっても後で述べる第三段階の「編集」で修正すればよい。そして時間も気にする必要はない。エッセイを書くにあたって、どれだけ時間をかけられるかわかるだろう。第一段階の「構想を練る」でかけた時間とぴったり同じ時間がかけられるのだ。実際に「書くこと」に充てられるのは、全体の時間の三分の一だ。よって実際に書き出す前に、自分は何を言いたいのか、よく考えておくとよい。

この「構想を練る」第一段階で、今の自分はレース直前のスターティング・ボックスにいるグレイハウンドのようだ、と想像すれば、時間をたっぷり取って緊張感を高めたいと思うはずだ。自分は読者に一体何を伝えたいか、よく考えて、計画を練り、自問しながら、そんな考えや緊張感を生み出すことができる。これによって、速く、容易に書くことができるのだ。

だから間違いをおそれてはいけない。とにかく書いてみよう。後で直せるから。ただ、どんな段落（パラグラフ）構成にして、どんな文を書くか、この段階から注意しておく必要がある。

この本はイートン校入学を考える中学生の皆さんも読んでくれていると思うので、手書きで文章を書くことがまだよくあると思う。手書きで文章を書くのは実は試みる価値があることだ。というのは、間違えたら終わりだという状況で書くことになるからだ。それによってあなたの筆力は向上する。考えてほしい。パソコンを使わないのだからスペルチェッカーなどの校正機能は使えない。コピー&ペーストも段落の入れ替えも不可能。この状態で書くわけだから、自分は何を言いたいのか、どの順序で段落を構成するのがいいか、知らぬ間に意識させられることになる。

段落（パラグラフ）を変えるタイミングとは

段落は以下の状況においてのみ、改めればよい。

1　話題を変える時
2　会話で話し手を変える時

3　時間や場所を変える時

加えて、段落を改めることに関して、わたしが決めていることがある。「ここで段落を変えたほうがいいかも」と思う時は、そうするのだ。

これが悪い効果をもたらしたことはない。（たとえば）歴史について文章を書いたりすると、ひとつの段落に一文しかないことがある。あるいはこれはわたしが事実をよくわかっていないからで、キーセンテンスを目立たせる形でごまかそうとしているのかもしれない。いずれにしろ、ひとつの段落を理解するには普通は三つか四つの文で十分だが、すでに書いたことを読み返してみて、五つか六つの文に増やすこともある。

一文か二文の非常に短い段落があるとしても、長い段落も出てくるのであれば、問題ない。その場合、一文の長さは二倍になる。ライティングの名人ゲイリー・プロボストは次のように言う。

　この文は五つの語でできている。これと別に五つ語がある。五語の文は問題ない。だが、五語の文が繰り返されると単調になる。耳を澄ましてみよう。文章が退屈なのだ。ブーンという低音が響くだけ。回転数のあっていないレコードのようだ。人間の耳は変化を求めている。
　もう一度聞いてみよう。文の長さを変えて、音楽を奏でる。音楽。文章は歌う。心地よいリズム、軽快さ、ハーモニーがある。短い文を差し込む。中くらいの長さの文も。読者が安らぎを得ていると感じられる時は、かなり文を長くして話に引き込む。この長い一文は赤々と燃え上がり、クレッシェンドがずっと続き、太鼓がたたかれ、シンバルが刻まれる。文章の音色が語りかける。よく聞いてほしい。大事なことを話している。

「どんな段落構成にして、どんな文を書くか？」ということと、「段落にどれだけ文を入れて、それぞれの文の長さはどうするか？」というふたつの要素が重なりあい、文章のリズムが奏でられる。のちに編集段階でリズムを調整することはできるが、最初に正しいリズムを設定しておけば、ずっと楽になる。

繰り返しを避けるには

三番目に、「繰り返し」の問題を指摘したい。考えを繰り返すことではなく、言葉を繰り返すことだ。同じ言葉を繰り返すと、読み手に退屈な思いをさせてしまう。ある考えを繰り返すことは必要だ。たとえばある場所で繰り返しの概念について述べるのであれば、その考えに何度か繰り返し言及し、要点を伝える必要があるからだ。だが、同じ言葉は繰り返さないほうがいい（特に「繰り返す」という言葉がそうだ）。同じ言葉を何度も繰り返せば、同じ言葉が繰り返されていることが繰り返し感じ取れてしまう……。

繰り返しを避ける方法として、代名詞を充てる（名詞の繰り返しを避けたいのであれば効果的だ）、同義語を充てる、婉曲表現を用いるという三つの方法がある。たとえば、ミルトンの『失楽園』は英語の長篇詩のひとつだが、英雄の名前も、悪役の名前も、英雄に立ちはだかる悪魔の名前も、何度も出てくる。ミルトンはどのようにしてこうした語の繰り返しを避けているだろうか？　代名詞（この場合は「彼」）や同義語（「ルシフェル」[Lucifer] は堕落した大天使で、サタンと同じものを指す）や婉曲表現（「人間の敵」などといった言い方）をうまく使い分けているのだ。

一方で、ある言葉やある考えに繰り返し言及することで、言いたいことを最大限効果的に伝えられる場合もある。自分の考えをただ繰り返すだけで、人々の頭に焼きつけることができるのだ。チャーチルによれば、繰り返し自分のことを述べることが実際に機能するただひとつのレトリックだ、ということになる。

強調したい重要なことがあるなら、曖昧にしたり巧妙にぼかしたりしてはならない。杭で打ちこむのだ。伝えたいポイントを一度叩く。また戻ってもう一度叩く。それからもう一度、力を込めて思い切り叩く。

鳥であれ、クジラであれ、動物が同じ音を繰り返せば、歌と呼ばれる。人間も例外ではない。歌にリフレインがあるのはそのためだ。最高のフレーズを繰り返し聞きたいからだ。

最初から何もかも完璧にはできない。だから修正するのがいちばんむずかしいものを正しく修正するのがいい。

3 編集——完膚なきまで削ぎ落とせ

アーネスト・ヘミングウェイは、「なんであれ、最初に書いたものはクズである」と言ったとされる。ヘミングウェイはノーベル文学賞受賞作家であるから、自分が何を言っているかおそらくわかっているはずだ。試験では終了五分前には答案を見直すべきであるとよく言われる。だが、最初は執筆時間の三分の一を見直しに充ててほしい。わたしは自分が書いたものや生徒たちが書いたものをもう数十年見ているので、タカが野原にいるネズミを見つけるようにして各ページに散らばる間違いを指摘できる。あなたももっと時間をかけて見直すことで、間違いが見つけられるはずだ。自分が書いたものを見直す際に、注意すべきことが四つある。

十分の一を削る

最初に言いたいのは、間違えてはいけないということではなく、書き過ぎてはいけないという

文藝春秋の新刊

4

2024

「春のいろ」©大高郁子

◆発売日、定価は変更になる場合があります。
表示した価格は定価です。消費税は含まれています。

俺「勇者しゃないですか 6
VR世界の頂点に君臨せし男。転生し、レベル1の無職からリスタートする

原作・心音ゆるり　漫画・伊咲ウタ

…の存在を明かしたSRとその仲間たちは隣国・リュウトのダンジョン攻略へと旅立つ！

コミック
◆4月2…
858円
090167…

異世界王朝物語 1
～転生したらネクロマンサー扱いされているわけだがそれも悪くないかと思い始めた～

●臨死体験をしたせいで幽霊が見えるし会話もできる!?

原作・渡辺 進　漫画・横山ひろと

転生した際に「幽霊が見える、会話ができる」体質になりネクロマンサーと呼ばれることに!! 異世界でどうなっちゃうの!?

コミック
◆4月26日
792円
090168-1

詐欺師的異世界生活 1
～詐欺の技術で世界一の商人を目指します～

●元詐欺師による異世界ビジネスコメディ開幕!?

原作・叶 ルル　漫画・犬飼ビーノ

日本で詐欺師だった主人公・ツカサは、追われて刺され、海に落とされてしまうのだが……気がついた先は、なんと異世界だった？

コミック
◆4月26日
792円
090169-8

おはよう、しっぽ

●そろそろ、脱・自虐!?

川瀬はる

「異物」はいらない？ 佐々木ムギ33歳しっぽ有。自虐の日々が少しずつ変わってく――親子で泣いたと話題のコミック連載が一冊に！

コミック
◆4月30日
990円
090170-4

女絵師の一生を描ききった直木賞受賞作！

星落ちて、なお

澤田瞳子

891円
792195-8

紺屋町で道の真ん中に落ちていた腕の持ち主は？

耳袋秘帖 南町奉行と酒呑童子

風野真知雄

792円
792196-5

娘の命を救うために不可能に挑んだ家族の物語。6月、映画公開！

アトムの心臓 「ディア・ファミリー」23年間の記録

清武英利

770円
792200-9

若き日の安倍晴明が事件に挑む！ 話題映画のノベライズ

陰陽師0

原作・夢枕獏 映画脚本・佐藤嗣麻子

748円
792201-6

ことだ。簡潔さはウィットを備えている。わたしが何を言おうとしているかわかるだろうか？　書き過ぎたかどうか、常にそれを確かめる必要はないが、時々それを試みることで、新しい技術が身につく。

言葉を切り刻むにあたって、言葉の感情を気にする必要はない。さらに言えば、われわれは何も考えず無造作に間引きする単語を選んでいるわけではない。そうではなく、削除しても残りの語に影響をおよぼさない語を取り除こうとしているのだ。これを試みることで、残された意味のある語がさらに強力な意味を持つ。それほど重要でない語によって意味が薄められずにすむからだ。

誰もがジョークを口にするとうんざりしたような声を上げる。ジョークにはどうでもいいこともたくさん含まれているからだ。そしてようやくオチにたどり着いた時にはもはやいろんなことを聞かされて疲れてしまっていて、笑うことすらできない。あるいはフランスの数学者で哲学者のブレイズ・パスカルの言う通りだ。

長い手紙を書いてすみません。短い手紙を書く時間がありませんでした。

「非常に（very）」「本当に（really）」は、使うべきか？

英語では削除してもほとんど問題がない語がふたつある。本当に（really）と非常に（very）だ。

本当だろうか？（Really?）まさにそうだ（Very much so.）。でも、どうして？

なぜなら、どちらも副詞であり、形容詞を修飾して理論上、強調する役割しか果たさないからだ。

ここにいられて本当にうれしいです。

本当にそう思っているだろうか？　そんなふうに思えないが。もう一度声に出して読んでほしい。言い方によっては、皮肉と受け取られてしまうかもしれない。それとも本当にうれしくてそう言っているのだろうか？

同じように、「彼はいい人だ」も悪くないが、ちょっと弱いかもしれない。そうではあるが、「彼は非常にいい人で……」という言い方をすると、大概は「……ですが」が続くように思える。

すでに述べたとおり、不必要な言葉を入れると往々にして意味が弱くなってしまう。よって、たとえ（あるいは特に）文章を華やかにしようとする時でも、だらだらと言葉を続けることがないようにしたい。煌《きら》びやかな文章を書きたいと思うなら、明確で楽しくなるような効果的な語を使い、短く、パンチの効いた文を織り込み、セミコロンを巧みに使ってふたつの文をひとつにする、といったことを考えてみよう。

強意語は誤った言い方だ。「本当に」も「非常に」も実は何も強調しない。字面とは違う意味が表現されることもある。正反対の意味で言っていることも稀にあるのだ。どの言語もそうだ。

わたしが二番目に好きなイタリア語も例外ではない。

不要な装飾語とは

1　感嘆符

感嘆符はF・スコット・フィッツジェラルドが言うように、自分で自分のジョークを笑うようなものだ。小細工にすぎず、何の効果も期待できない。小細工をすべて受け入れないというわけではない。ただ、読者をはっとさせたいのであれば、「動詞を使わない文」を書いてみるのがよい。

2　不要な形容詞すべて（言葉に語らせよう）

3　直接話法の発言のあと、過去形の「言った」（said）以外に使われる語

次の例を見てほしい。

「本当か?」とあなたはたずねる。（'Really?' you enquire.）

「そうだ」とわたしは言う。（'Yes,' I say.）

引用符内の会話文がなんと言ってもいちばん役割を担う。それ以外の部分に工夫を凝らすのはどうか。先の会話文であれば、「……と言う」（say）の代わりに「……と聞く」（ask）と「……

と答える」(reply) といった言い方ができると思う。リング・ラードナーはよくこうした言い換えを行った。

迷っちゃったの、パパ、と**穏やかにたずねた。**(Are you lost daddy I asked tenderly.)
うるさい、と父は**答えた。**(Shut up he explained.)

会話やセリフの後に「言った」(said) を使わないようにしたのは、リング・ラードナーに並ぶアメリカのリアリズム作家レイモンド・チャンドラー(アガサ・クリスティと同時期に活躍した偉大な犯罪小説家)と言えるだろう。チャンドラー原作のフィルム・ノワール『大いなる眠り(三つ数えろ)』とチャンドラーが脚本を担当した『深夜の告白』をご覧いただきたい。『深夜の告白』で、ウォルター・ネフ(フレッド・マクマレイ)とフィリス・ディートリクスン(バーバラ・スタンウィック)が交わす禍々《まがまが》しい会話のやりとりを感じてほしい。「言った」がなくても、完璧な会話が成り立つ。

ウォルター　それであなたは暗闇の中で目を覚まし、彼のいびきを耳にしていろんなことを考えたんだね。

フィリス　ウォルター、あの人を殺したいなんて考えてないわ。そんなこと、思いもしません。お酒に酔ったあの人にこの頬を平手打ちされた時だって。

ウォルター　死んでくれたらいいのに、と思うことがたまにあるだけかい？
フィリス　そうかもしれないわ。
ウォルター　事故で死んでくれたら、五万ドルの生命保険が転がり込む。そういうこと？
フィリス　それはあるかも。

ご覧の通りセリフが六つあるが、それぞれの後に次の言い方を入れたらどうか？

「彼は推測した」(he speculated)
「彼女は抗議した」(she protested)
「彼は提案した」(he suggested)
「彼女は認めた」(she conceded)
「彼は尋ねた」(he enquired)
「彼女は同意した」(she agreed)

どれも少なくとも意味は成す。だが、好ましくない。こうした表現を使うのは、写真のフレームが写真そのものより目立とうとするようなものだ。あなたはフレームだ。写真を光らせるのが仕事だ。
それで、それぞれのセリフのあとあえて何か付け足すとすれば、順に、

「彼は言った」(he said)
「彼女は言った」(she said)
「彼は言った」(he said)
「彼女は言った」(she said)
「彼は言った」(he said)
「彼女は言った」(she said)

となる。

そして実際必要なのは最初の「彼が言った」と「彼女が言った」だけだ。生命保険のセールスマン(ウォルター)と不幸な妻(フィリス)のふたりが話しているとわかればそれでよい。チャンドラーがすごいのは、「……と言った」がなくても、誰が何を話しているかわかるようにしていることだ。

ただし、行き過ぎはいけない

書いたものをすべて破棄する必要はない。それでは疲れてしまう。ここでは簡潔に書くことを学んでいただくが、行き過ぎはいけない。古代ローマの詩人ホラティウスは不満を示している。

簡潔にしようとすると、曖昧になる。

必要な言葉を残さないと、意味がはっきりしなくなる。

(真偽は確かではないが) あるニューヨークの記者がロサンゼルスで俳優のケイリー・グラントにインタビューしたが、社に戻ってから大事な質問をしていなかったことに気づいた。記者はケイリー・グラントに電報を送ったが、当時の電報は一語増えるたびに料金が上がるので、なるべく語数を少なくしようとした。

HOW OLD CARY GRANT?

ケイリー・グラントからはすぐに返事が届いた。

OLD CARY GRANT FINE. HOW YOU?

「ケイリー・グラントさん、おいくつですか?」(How old are you, Mr. Cary Grant?) と記者はたずねたつもりだろうが、語数を削ってしまったので、「お歳を召したケイリー・グラントさん、ご機嫌は?」という意味に(あるいは意図的に)取られてしまい、グラントに「お歳を召したグラントは元気だ。きみは?」と切り返されたのだ。

書く習慣——日記をつける

言うまでもないが、すぐに思い通りに書けることはない。練習が必要だ。わたしは一日三〇〇語書くようにしている。あるプロのライターには、一日三〇〇語では少ない、五〇〇〜一〇〇〇語は書くべきだ、と言われた。だが、語数よりもとにかく毎日書くということが大切だ。見たことや考えたことをはっきりと英語で説明することは、文章を書くいい訓練になる。よって、日記を書くことを勧める。

Chapter 4

エッセイをどう構成するか

HOW TO STRUCTURE AN ESSAY

1 ヘーゲルみたいに2つのアイデアを戦わせよ

昔から言われているが、エッセイ（小論）を書き出す前にまずしなければならないのは、自分が書こうとしているものは何か、定義してみることだ。よって、ここでは「エッセイとは何か？」について考えてみよう。

エッセイ（essay）は、「試す」を意味するフランス語の*essayer*から来ている。「質問に答えること」だ。エッセイで問われることに答えることで、個人的にこう感じると表明することになるし、同時に論理的に議論されることになる。そしてそうあるべきだ。だが、最終的にこうであるという結論にまず至ることはない。よって、あまり気にする必要はない。「神は存在するか？」という問題を、そうではないと四十五分間で論破できるとはまず思えない。エッセイは脳が動き出すためにまず書かれるものなのだ。

二項対立を設定する

エッセイを書き出す前にまずしなければならないのは、自分が書こうとしていることはどんなものであるか、定義してみることだ。最良の方法は、まずはふたつの対立する意見による「二項対立」を設定することだ。そして「対立」とは、このふたつのものが相反する位置にあることを意味する。基本的に相反するふたつの考えを設定し、対立させる必要がある。そこからエッセイを書き出そう。

今わたしが言った方法に着目してほしい。従来の方法（自分が書こうとしていることはどんなものか、定義してみる）を、最良の方法（今述べた二項対立の方法）にあわせて設定してみることで、すでに対立を生み出している。この対立の原則はストーリー（物語）を書く際の常套《じょうとう》手段だ（ストーリーにおいて、常に誰かが何かを強く求めるが、そこに別の者が立ちはだかって妨げることがよく見られる。そのようにして対立が生まれる）。だが「対立」はむしろエッセイに効果的だ。

二項対立形式と自由回答形式1

よって、エッセイの質問形式は二通りある。二項対立からなる質問と、二項対立を外れた自由回答形式による質問だ。やはり二項対立の質問形式が望ましいと思う。これを採ることで、（エッセイの質問形式は二通りしかないとここでまさに述べるように）あらゆる議論には二通りしかないとさりげなく示されるからだ。

ふたたび注目してほしい。前の段落でふたつの異なる質問を対立させているが、おわかりだろうか？　こうして二項対立が新たに生まれるのだ。以下は、同じように二項対立につながる質問例だ。

- 神は存在するか？
- 死刑制度は残すべきか？
- 『失楽園』の主人公は悪魔か？

前提として言えることだが、こうした質問やほかの多くの質問に、「はい」あるいは「いいえ」で答えられるのであれば、「幸運だった」ということになる。

だが、残念ながらわたしは「幸運ではない」。わたしの場合、「エッセイをどう構成するか」というエッセイに関する質問は、二項対立形式ではなく、自由回答形式で答えることになる。本章のタイトルである質問「エッセイをどう構成するか」をふたたび考えてみよう（自分のエッセイを書いている時は、ひとつの段落を書き終えるたびに最初に設定した質問に答えてみることを勧めたい。常に書き始める前に立てた質問を意識し、答えてみよう）。

「エッセイをどう構成するか」という質問に、単純に「はい」あるいは「いいえ」で答えることができるだろうか？　もちろんできない。それについて、果てしなく議論がつづくことになる。以下の質問もそうだ。

- 人生の意味とは？
- 第一次世界大戦はどうして勃発したか？

二項対立形式と自由回答形式2

順を追って説明する。

1　紙を一枚出す。
2　真ん中に縦線を引く。
3　その線の上に、対立項目を導く質問を記す。
4　線の両側に、「賛成意見、賛成する理由」と「反対意見、反対する理由」を書く。はっきり言いたいのであれば、「賛成」か「反対」を書くだけでよい。
5　それからペンを置いて、今書いた質問を見て、時間を十分かけて真剣に考えてみる。
6　その質問に賛成か？　反対か？　あるいはどちらかに決められないか？

7　理由は？
8　ペンを取り、線の両側にそれぞれを支持する理由をすべて書き込む。
9　すばらしい、とにかくこれで完璧なエッセイ執筆プランができあがった。

ある質問に対して、賛成意見と反対意見を記したエッセイ執筆例をここに示す。テレビドラマシリーズ『ブレイキング・バッド』（シーズン1）のエピソード2で、高校の化学教師から麻薬王にのし上がったウォルター・ホワイトが、地下室に閉じ込めたクレイジー・エイト（ウォルターはエピソード1でこのクレイジー・エイトに殺されかけている）をどうするかを決めなければならない。教養のある人なら誰でもそうするように、ウォルターはクレイジー・エイトを殺害する利点と欠点を比較検討する。すぐれたエッセイのタイトルと同じで、ここでも選択肢はふたつしかない。

クレイジー・エイトを殺すべきか？

殺してはならない（反対）
道徳的に人を殺すことはできない
ユダヤ／キリスト教の教えを守るべき
殺人者になってはならない

命の尊さを考えるべきだ

殺してしまえ（賛成）

生かしておけば、自分の家族が皆殺しにされる

「殺してはならない」の欄には四項目書かれているのに対し、「殺してしまえ」の欄には一項目記されているだけだ。だが、ウォルターはクレイジー・エイトを殺害する。これは完全に論理的な決断だ。大切なのは、質問に対して賛成または反対を支持する理由がどれだけ示されたかではなく、それぞれの理由がどれだけ強く押し出されているかだ。すべて最終的にはあなたが決める。そうすることでもたらされる利点と欠点の項目を羅列したリストも、エッセイそのものも、賛成、反対、それぞれの理由を吟味するように促すだけで、最終的に決断するのはあなただ。

この場合は、ウォルター・ホワイトが複数の命（そしてそれは自分にもっとも近い人たちの命だ）を救うために、ひとつの命を奪うことを決断したのだ。「クレイジー・エイトに家族を全員殺されてしまう」というウォルターの仮説に異議を唱える者もいるかもしれないが、ウォルターの最終決断を動かすことはできない。「家族を皆殺しにされるかもしれない」というひとつの判断材料は、ほかの四つを合わせたものより強力なのだ。

スパイダー・チャート——自由回答形式の質問を取り入れる

エッセイに自由回答形式の質問を取り入れる場合、二項対立形式とは異なる執筆計画を立てなければならない。「スパイダー・チャート」が必要だ。このチャートを使って、さながらクモの足のように、中央（クモの胴体だ）に記された自由回答を引き出す質問からさまざまなアイデアが外側に広がっていく。マインド・マップとも称される。わたしはスパイダー・チャートと呼びたい。なぜならわたしは自由回答形式のエッセイの質問と同じくらい、クモが嫌いだからだ。よって自由回答形式の質問をスパイダー・チャートと呼ぶ。非常にシンプルな例を挙げる。

スパイダー・チャートによるエッセイ執筆計画の重要点には、下線を引き図に示した（「ストラクチャー（構造）も対立も見られず、議論に至ることがない」がそれだ）。おわかりのように、前後に明確な議論が見られないから、スパイダー・チャートで作成するエッセイは往々にしてストラクチャーがなく、焦点がずれてしまうことになる。よって、ここではエッセイの質問から決して逸れないようにしなければならない（わたしが今まさにこれをしなければならないことはおわかりだろう）。

ここでちょっと一息ついて、ひとつ質問したい。

本章にここまで記してきたことで、何か学ぶことはあっただろうか？　前のページを見返すことはなかったか？　たしか二項対立と自由回答の問題について論じているのではなかったか？

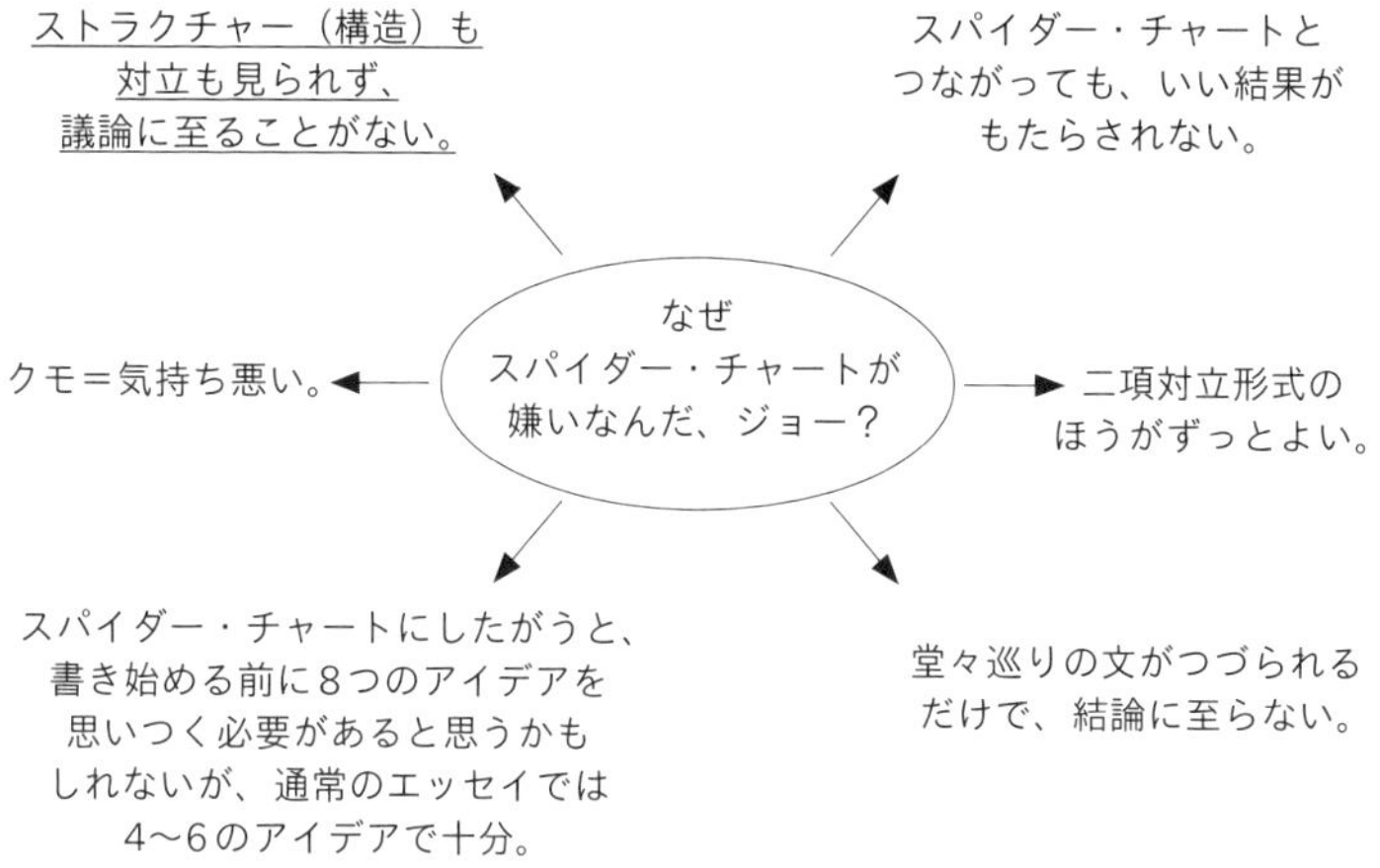
ストラクチャー（構造）も
対立も見られず、
議論に至ることがない。
スパイダー・チャートと
つながっても、いい結果が
もたらされない。
なぜ
スパイダー・チャートが
嫌いなんだ、ジョー？
クモ＝気持ち悪い。
二項対立形式の
ほうがずっとよい。
スパイダー・チャートにしたがうと、
書き始める前に8つのアイデアを
思いつく必要があると思うかも
しれないが、通常のエッセイでは
4〜6のアイデアで十分。
堂々巡りの文がつづられる
だけで、結論に至らない。

なぜこんな状況になっているかと言えば、書いているわたしが自分と向き合っていなかったからだ。二項対立と自由回答の間に矛盾が存在したからだ。

「自分自身と口論することで、詩人は詩を書き上げる」とアイルランドの詩人W・B・イェーツは言っている。

ヘーゲル——弁証法

およそ二〇〇年前、ドイツの哲学者ゲオルク・ヴィルヘルム・フリードリヒ・ヘーゲルは、議論がどのように解決にいたるか考察し、「弁証法」(dialectic)に思い至った。弁証法はふたりの人間による「論議」(debate)を意味するギリシャ語から来ている。だが、ヘーゲルが思い描いたのは、ふたりの人間ではなく、ふたつの考えが互いに意見を交わし、異を唱える状況だった。ふたつの考えはそれぞれ相反する（あるいは正反対の）ものであるから、一致することはなく、自然な流れとして対立に至る。ヘーゲルは弁証法において対立するふたつの考えを「テーゼ」と「アンチテーゼ」と呼んだ。

弁証法を通じて何が起こるか？　テーゼとアンチテーゼは、たがいに相容れないものをすべて消し去るまで戦いつづける。両者とも戦いでひどく疲弊し、それぞれが攻撃を受けた部分が溶解して混じり合い、まったく新たな統合体が生まれる。これは戦いのあとに残ったものから生まれる、テーゼとアンチテーゼの最良の部分を合わせたものだ。

これが二項対立によるエッセイ執筆で行われることだ。対立するふたつの考えをまとめて掬《すく》い取り、それぞれを真っ向から戦わせる。そこから勝ち残ったものが、ページのいちばん上に記した質問の最終的な答えとなる。

マルクス――資本主義と共産主義

弁証法の例として、ヘーゲルの偉大な後継者であったカール・マルクスを取り上げたい。マルクスは弁証法を歴史に適用し、多くの労働者が工場で商品の生産に従事することになった産業革命の時代に影響を与えた。この時代、工場は雇用者のものであり、工場で労働者が生産した商品は雇用者のものであるとして、雇用者がすべて取り上げ、販売した。雇用者は富を得る一方で、労働者にはおよそ労働に見あわない賃金しか支払われなかった。

工場生産であれ、ほかの労働であれ、あらゆる仕事はこのような雇用関係のもとに組織化された。生産手段を掌握し、労働者には対価にあわない賃金しか支払わないことで、雇用者が利益のほとんどを手にしたのだ。マルクスはこれを資本主義と呼んだ。

マルクスは、少数雇用者が労働者の労働によって富を得たとしても、労働者が貧しいままであれば、雇用者は間違っている、と考えた。そこで、政府が工場の所有者から所有権を買い上げるべきだ、そして労働者が工場で労働して商品を作り上げることで得た利益は、労働者たちが均等に分かちあうべきだ、と提案した。この体制は共産主義と呼ばれた。

マルクスは雇用者だけが利益を得る既存の体制についてつづった『資本論』（一八六七年）と、自分が考える物事のあり方を説明した『共産党宣言』（一八四八年／エンゲルスとの共著）を出版した。『資本論』も『共産党宣言』も、過去一五〇年間にわたる各国の政治と国家間の闘争（世界のあり方をめぐる戦い）におけるテーゼとアンチテーゼを明らかにする。

共産主義諸国の代表だったソビエト連邦が一九九一年に崩壊し、資本主義国が勝利したように思えたが、資本主義も二〇〇八年に部分的に崩壊したため（リーマンブラザーズ破綻に伴う金融資本主義の崩壊）、どちらが完全に勝利したとは断言できない。

だが、この一五〇年間に、西欧の資本主義諸国は特定の産業を国有化（政府による買収）して共産主義の考え方を取り入れるなど、双方の歩み寄りも見られる。たとえばイギリスには国民保健サービスがある。これは政府が管理し、全国民に原則無料付与される。フランスでは鉄道運営は政府によってなされる。イギリスもフランスも基本的には資本主義国家だが、こうした変化が見られるようになった。資本主義か共産主義かという議論は今も結論に至ってはいないが、兆候としてテーゼ（資本主義）とアンチテーゼ（共産主義）とのあいだに統合のようなものが見られる。

以上、わたしは資本主義と共産主義のどちらが正しいかを伝えたいわけではないが、提示の仕方を見れば、わたしがどちらに共感を抱いているか察していただけると思う（そして議論の提示の仕方次第で、人々にどれだけ確信を抱かせるかが決まることも心に留めておいてほしい。これがのちに重要になる）。

わたしがここで示したいのは、賛成意見と反対意見を並置し、両者のあいだに論争を起こすこと以外、エッセイを書き上げることは不可能だ、ということだ。なぜならそれが自問する質問に答えを出し、統合（融合）をもたらす唯一の方法だからだ。

この統合（融合）がヘーゲルの弁証法の要点となる。つまり、ふたつの考えが何らかの合意にいたるまでたがいに論議を交わすのだ。これは議会において機能する、あるいは機能すると思われる。というのは、議会では両者が妥結にいたる（あるいは統合する）まで議論がつづけられるからだ。そしてどんな結論にいたるか最後までわからない。

古代中国の哲学者である孔子は、調和と平和は、盲目的順応ではなく、合意と妥協によって形成されると考えた。意見の一致と妥協を得るには、忠実な反対者が求められる。自分とは反対意見を講ずる者が必要なのだ。

「王子であることで得られる唯一の喜びは、誰も自分の言うことに反対しないことだ」と王子自身が思い込むようであれば、その国家は危うい、と孔子は言っている。

どちらかに決められない

何を書くかについてアドバイスすれば、こういうことになる。

文章を書いていて行き詰まった場合、「一方で……」という言葉で新しい段落を始めて、自分が言ったことを強く否定する以下のやり方はそれほど悪くない。自分の発言を否定することで、自分は公正であると思わせようとするのだ。F・スコット・フィッツジェラルドは言う。


一流の知性を備えているかどうかは、相反するふたつの考えを同時に備えているかどうかで試される……。


よって、エッセイは二番目にいいと思うことから書き始めて、いちばんいいと考えることで締めることだ。これでかなりいいものになる。

ドイツ生まれの哲学者ハンナ・アーレントは、何かを判断する際には、他人の視点を考慮し、他人が何を考え、何を感じるか、想像しなければならない、とした。自身が定義した「拡大した精神性」を取り入れる必要があるとしたのだ。

これがエッセイに求められる。自分だけでなく、ほかの人の見方も考えなければならない。少なくともほかの可能性、ほかの視点、ほかの意見を検討し、自分が最初に考えたことを問うてみなければならない。

だが一方で、今述べた法則は、言ってみれば、世界を説明することで世界を単純化し、自分たちが理解できるものに歪《ゆが》めてしまうものかもしれない。よって、どれももっと適当な法則が見つかるまでのものとしなければならない。適当な法則が見つかれば、これまでの法則は錆びついた三輪車のようにためらうことなく廃棄すればいい。

すべて反対の考え方をしてみる、そして読者を引きつけよう

なぜ何もかも自分とは反対の考え方をする必要があるのか？　理由はふたつある。ひとつは、頭に浮かんだすべてのことに対して反対意見を考えてみることで、二倍の考え方が手に入るからだ。十分に吟味、調査されたひとつの意見は、ひとつの段落を生み出す。この反対意見を考えてみることでふたつの意見が、さらにはこのふたつの意見からそれぞれの反対意見を出してみれば、たちまち四つの意見が生み出される。

すべて反対の考え方をしなければならないもうひとつの理由は、意見の対立は物語においてもスポーツの試合においても不可欠だからだ。結末が作家の頭のなかで事前にほぼ決まっているこ

とが多い物語でも、それが決まっていなくて、選手もチームもたがいに最後まで競い合うスポーツの試合でも、これは同じだ。この対立がエッセイで論争を展開する上でも重要だ。弁証法はふたつの考えの対立によって成り立つと言って過言でない。だが、それ以上のものがある。物語やサッカーの試合のように、ふたつのことを対立させることによって（特に結果はどうなるかわからないことも相俟って）、エッセイでも読者を引きつけておくことができる。

だから、はたしてどうなるのか、と読者を刺激し続けることだ。いくつか論点を示し、結論は最後まで示さないのがよい。たとえば奇数段落ではエッセイの標題に据えた質問を肯定する意見を展開し、偶数段落ではそれを否定する意見をぶつけるのがいいかもしれない（だが、これはあくまで目安でよい。きっちりそうしなければならないというわけではない。対立する意見を交互に出すのがいいくらいに認識しておこう）。

ふたりの選手が激しく攻防を繰り広げるテニスの試合や、両チームが試合終了まで決勝ゴールをあげようと全力でぶつかりあうサッカーの試合のように、エッセイもハラハラドキドキするものにしなければならない。サッカーの試合であれば、前半終了時は四対〇、後半終了時は四対三の試合より、最初は〇対一だったが、二対一になり、二対三になって、四対三で終わる試合のほうが興奮する。最後の段落で、あるいはよく考え抜かれた最後の一文で、それまでに述べたどの点が有効であったか明らかにし、どちらの論が正しいか宣言できるのだ。最高のものは最後まで取っておかなければならない。

自分の意見に賛成しない

自分の意見に賛成できないことに関し、わたしよりもはるかに知的な人たちが次のようなことを言っている。

非常に多くの者たちは単に自分の偏見を整理しているだけで、「自分は考えている」と思っている。

（ウィリアム・ジェイムズ［p 99参照］、アメリカの心理学者）

事実が変わると、わたしは自分の考えを変える。

（ジョン・メイナード・ケインズ、イギリスの経済学者）

一生懸命考えれば、頭が痛くなる。

（メアリー・ビアード、イギリスの古典学者）

何を考えるにしろ、逆のことを考えよう。

（ポール・アーデン、サーチ&サーチの元広告ディレクター）

スターリンがシベリアなどの収容所にいた人たちを共産主義に対する脅威と見なし、そこに強制収容されていた一〇〇〇万から二〇〇〇万もの人たちを殺害したことが明るみに出ると、多くの共産主義者が共産主義に対する考え方を改めた。これと同じように、エッセイの最初と最後で意見が変わっても何の問題はない。

まったく問題ないのだ。証拠を示して検証し、自分の思考に影響を与えていると明かしているのだから。言うまでもなく、わたしのアドバイスにしたがって執筆計画を立て、エッセイの命題に賛否両論の議論を展開しているのであれば、どんな結論を出すか、すでに腹積もりはあるはずだ。だが、あなたのエッセイを読む者はそうではない。よって、どちらの意見を支持するか（場合によっては両方を支持することもあるだろう）、最終的な結論を示す前に、読者を興味をそそる旅に連れて行き、そこで彼らにふたつの異なる意見を検討してもらう必要がある。

「自分の意見に賛成しない」ことは、考え方を二倍に増やすよい方法であるだけでなく、エッセイを自然なものにもできる。段落ごとに、「賛成」「反対」「賛成」「反対」を順に示すことで、構成をきっちり整え、ドライブ感をもたせることができるのだ。それだけでなく、自分は公平である、と思わせることもできる。ひとつの段落で自分の考えを決めようとしているわけではないし、かといって必要な語数を埋めるためにうじうじと文章をつづっているわけではない、と印象付けることができるのだ。だが、以上すべてに加えて、さらに重要なのは、両者の意見を十分に検討すれば、あるひとつの困難な問題を自分は本当はどう思うか、唯一最良の形で知りうることができるからだ。

自分の考えを燃え上がらせる燃料タンクを、いっぱいにする

ウィンストン・チャーチルは次のように述べている。

無学な者は、名言を集めた本を読むのがよい。『バートレット引用句辞典』はすぐれた書物で、隅々まで目を通した。引用句が記憶に刻まれることで、よい考えが得られる。その言葉を残した著者の作品を読んでみたい、さらにもっと知りたいと思うはずだ。

チャーチルのこの言葉を知ったのは、二十年前だ。そうと知っていささか気分が沈んだ。なぜならチャーチルによれば、『オックスフォード引用句辞典』を所有するわたしは「無学な」者となるからだ。『オックスフォード引用句辞典』とオックスフォード大学の学位がほかでもなく「無学な」状態を治癒するとわたしは考えていたのに、だ。

チャーチルはハロウ校では成績が芳しくなく、十八歳の時に大学ではなくサンドハースト王立陸軍士官学校に進むことになった。自分は「学がある」とはおそらく考えていなかったのだろう。そんなチャーチルは、のち（一八九六年）に第四女王所有軽騎兵連隊とともにイギリス領インド帝国に駐屯すると、本を次々に注文して読み漁ることになる。チャーチルは幼少期にかなり恵まれた教育を受けたが、自学自習で教養を身につけた二十世紀の主要人物のひとりである。わたしはチャーチルではないし、大学にも進学した。だが、このわたしも正規の教育機関の二十年より

も、大学卒業後の約二十年において確実に多くのことを学んでいる。

言うべきことを考えて、声に出して言ってみよう。あなたはチャーチルだから。言うべきことを書き留めよう。あなたはシェークスピアだから。

この言葉が大好きだ。自分はネット検索がかなり得意だと思うが、この引用句の出典は突き止められなかった。この文はわたしに思い出させてくれる。どんな偉大な思想も演説も本も、誰かの頭の中にほのかに生じた小さな火花から生まれた。人間の努力のほぼあらゆる分野に見られる偉大さは何かと言えば、偉大な考えを思いつき、それを実行することだ。だが、そんなすばらしい考えも、何もないところからは生まれない。だから自分の考えを燃え上がらせる燃料タンクをいっぱいにしよう。

あなたと正反対の政治思想も読み続ける

エッセイをどう書けばいいかを学びたいのであれば、エッセイの名手が書いたものを読んでみるのが最善の学習法だ。

名文家の書いたエッセイはどこでも読める。今日わたしが関心を寄せているエッセイストに、セオドア・ダルリンプルというペンネームで健筆を振るうアンソニー・ダニエルズがいる。セオドア・ダルリンプルはすぐれた作家で多くのファンがいるが、そのひとりが管理、運営する「スケプティカル・ドクター」(「疑い深い医師」セオドア・ダルリンプル作品サイト)というウェブサイト(p48)で、膨大な作品のごく一部が読める。

ダニエルズはやや気性は荒いが、ユーモアあふれる人物で、以前は医師で、刑務所で精神科医も務め、少なくとも三大陸で医療に従事した。右翼支持者で、わたしとは正反対の政治思想を持つことも、セオドア・ダルリンプルを読みつづけている理由のひとつだ。というのは、ダルリンプルの文章を読むと、片眼で政治を批判的に見られるだけでなく、両眼で世界を見られるように思えるのだ。

セオドア・ダルリンプルもチャーチル同様、自学自習者だが、その文章は実にさまざまな人たちに読まれていて、あらゆる題材を面白くつづっている。

だが、おそらくダルリンプルがもっとも不安を覚えるのは、社会の下層階級の人たちだ。ダルリンプルは西欧諸国の寛大すぎる福祉制度がこの階級の人たちを作り上げたと信じている。どういうことかというと、何百万もの人たちが働かないことを選択すれば、働かなくても許される、だがそれによって彼らの生活は何の意味も持たないものになるし、さまざまな負の影響がもたらされる、それによって当事者だけでなく、豊かな西欧諸国の生活にも悪影響がおよぶ、と考えているのだ。

多くの右翼主義者と異なり、この問題に対するアンソニー・ダニエルズ/セオドア・ダルリンプルの論述は説得力がある。何十年にもわたって刑務所やバーミンガムの貧民地区で、こうした下層階級の人たちの医療にあたってきただけのことはある。

この点で、セオドア・ダルリンプルは「サマリア人のジレンマ」（ノーベル賞を受賞したアメリカの経済学者ジェームズ・ブキャナンが作り出した言葉）を受け入れていると思われる。

ジェームズ・ブキャナンの最近の著作を読むとわかるのは、ブキャナンは自由主義の信念を打ち出しているものの、その実、人種差別主義の思想にとらわれていたし、教育に対しても分離主義の姿勢を取っていたということだ（ブキャナンの自由主義によれば、徴税は基本的に窃盗であり、自由主義者のほとんどが今も昔も愛する軍隊は別として、国家の規模は可能な限り小さくあるべきだということになる）。ブキャナンは、黒人奴隷の子供たちと奴隷所有者である白人の子供たちが友愛の席に着くのは間違っていると考えていたのだ（これは言うまでもなくマーティン・ルーサー・キングのような人々が一九六〇年代の公民権運動で成し遂げたことだ）。

もちろんわたしはブキャナンの教育的分離に対する見解にはまるで賛同できない。ブキャナンは一九六〇年代以前の「分離しつつも平等」の政策を取り戻したかったようだが、これでは決して平等は実現しえない。なぜなら、「分離しつつも平等」政策によって、常にどちらか一方が多くの権力と金銭を手にするからだ。これとは異なるものの、イギリスの私立教育と公立教育のあいだにも、（人種というより階級差によって）似たような違いがすでに何世紀も前から見られる。好ましくないことだ。

だが同時に、誰かの反対意見に耳を傾けて、受け入れるべきことを受け入れるのは、自分にとって意味があり、価値があることだ。なぜなら、反対意見に自分の見解を照らし合わせてこれでよいのだろうかと疑うことをしなければ、本当の意味で考えているとは言えないからだ。だから必ずしも全面的に賛同できない新聞や雑誌も読むようにしている。それによって、考えが改まることも少なくないし、自分の考えが深まることもよくある。

ガーディアン紙、エコノミスト誌……ブックマークすべきメディアと書き手

わたしは『ガーディアン』(「世界を導く自由主義の発言」を標榜する左翼系新聞)を購読している。マリーナ・ハイドとバーニー・ロネイのコラムは愉快だし、真実を痛快にえぐり出している。『デイリー・テレグラフ』(右翼系)にも目を通しているし、一部有料だが『エコノミスト』(右翼系)、『スペクテイター』(右翼系)、『ニュー・ステイツマン』(左翼系)、『ロンドン・レビュー・オブ・ブックス』(左翼系)、『ニューヨーク・レビュー・オブ・ブックス』(左翼系)もチェックしている。だが、『ロンドン・レビュー・オブ・ブックス』と『ニューヨーク・レビュー・オブ・ブックス』は特にすばらしく、何十年分もの長いエッセイのほとんどをネットで無料閲覧できる。左寄りの『サロン』、『スレート』、『アトランティック』、『バッフラー』も無料で一部の記事が読める。

セオドア・ダルリンプルの対極的な書き手に、ローリー・ペニーがいる。この若い左翼系の女性ジャーナリストが書くことは、強く賛同できるかできないかのいずれかだ。にもかかわらず、

ペニーの文章を読むと、いつも考えさせられる。ほかに好んでエッセイを読む作家に、次の人たちがいる（順不同）。

アイザイア・バーリン、ミシェル・ド・モンテーニュ、ゼイディー・スミス（p58）、マーク・フィッシャー、ニーナ・パワー、ジョージ・オーウェル（p20）、バートランド・ラッセル、ジョーダン・ピーターソン、アダム・フィリップス。

2 アリストテレス──「エトス」「ロゴス」「パトス」を駆使せよ

わたしは教師であり、仕事上、まずいエッセイをたくさん読まされている。学生たちのエッセイの何が悪いかと言えば、概して、言葉をたくさん繰り出すものの中身が薄い、ということだ。紙が白いままだとまずいと思うからだろうが、何を言うべきか考えずに書き出してしまうのだ。どの段落も中身がないものになるのも大体同じ理由による。

論点の根拠の「評価」と「分析」

「論点の根拠を評価する」、あるいは「論点の根拠を分析する」。どちらも意味することは同じだ。たいていはこのふたつを通じてエッセイの書き方を学ぶ。「評価」と「分析」、どちらも問題はない。「論点」を打ち出すのはいい。だが、重要なのは、「論点の根拠」を示すこと。それなくして、説得力は備わらない。エッセイを書く者が論点の根拠を評価、分析することもいい結果につながる。これを通じて自分が今何を言っているか考えてみることができるから間違いなく有益だ。どのエッセイにもさまざまな考え方が取り込まれる必要がある。

だが、これらをエッセイあるいは段落を書く上でのテンプレート（枠組み）にするのはまったく好ましくない。なぜなら、これを導入することで、ひとつの段落に、「論点」、「根拠」、「評価と分析」をそれぞれひとつ、あるいはそれ以上盛り込まれなければならなくなるからだ。その結果、「論点の根拠を評価する」／「論点の根拠を分析する」を取り入れた、次のような三文からなる段落を頻繁に目にすることになる。

戦争は悪い。第二次世界大戦では八〇〇〇万人が死亡した。人が死ぬのは悪いことだから、戦争は悪い。

言うまでもなく、これを書いた人の戦争に対する評価や分析には異議を唱えない。戦争は悪い。多くの人が死ぬという根拠によってそれを裏付けようとする考え方にも反対しない。そう考える根拠を言及したうえで、「評価」／「分析」をはかるのがよいとする考えもうなずける。

だが、この三文からなる段落を書いた人は、時間をかけて主題そのものを幅広く検討していれば、もっと興味深い考えを示すことができたのではないかと思わずにいられない。これはただ、

「論点の根拠を評価する」／「論点の根拠を分析する」のテンプレートにしたがい、「論点」「根拠」「評価と分析」の基本の三点をただ挟み込み、このあとの段落につづけただけだ。ひとつの段落に三文以上盛り込んでもよいのだ。いまわたしが書いている段落がそうで、三文以上書いている。ひとつの考えが小さな容器に収まらないことは確かにあるし、大きな容器に注いで空気を含ませることでワインの味が深みを増すこともある。

そして、ただわたしに伝えればいいというものではない。わたしを説得しなければならない。でもどうやって？　よくぞたずねてくれました。すでにそれを考えた人がいるのだ。その人の名前はアリストテレス、紀元前四世紀にアテネでプラトンに師事した後、いくつかのアイデアを思いついた人物だ。

「エトス」「ロゴス」「パトス」——自分の主張の正しさを納得させる三要素

アリストテレスは、誰かに自分の主張の正しさを納得させるには三つの方法がある、と考えた。そしてその三つを**エトス（ethos）、ロゴス（logos）、パトス（pathos）**と呼んだ。この三つの考え方を定義してみよう。

まず、**エトスは「倫理」（ethics）から来ている。すなわち、適切に行動すること、道徳的に行動することだ。**だが、実はエトスは「誰に語らせるか、語ってもらうか」が概して大きな問題になる。というのは、その人物を使って自分の読者を説得しようと試みることになるからだ。

あなたは何者で、一体わたしに何を伝えようとしている？　何の権威があって、あなたは自分の主張を押し出す？　何か特別な資格や能力がなければ、そんなことはできないのではないか？　だからこそ、他の人の「エトス」を、つまり何が何であるかを語る資格のある人々を駆り出すことになるのだ。

この本で、わたしが有名な人たちの意見をはたしてどれだけ引用したか（中には直接引用したものも少なくない）、お気づきだろうか？　どうしてそんなことをしてきたかと言えば、彼らの「エトス」を借用して、わたしの主張を強化し、「わたしは正しい」と読者を説得したいからだ。わたしの言うことは聞かないかもしれないが、アインシュタインやアリストテレス（すでにこの人物の名前は言及した）やウィンストン・チャーチルの話は聞くだろう。違うだろうか？

ここでわたしが紹介しているのは、アリストテレスのレトリックの三要素、エトス、ロゴス、パトスだ（「レトリック」[rhetoric] の原義は「説得力のある言葉」）。古代ギリシャ語にある言い方だが、それをわたしは読者のために英語に訳して説明している。

なぜわたしはそんなことをするのか？　「エトス」のような言葉を持ち出さずとも、「性格」や「権威」などについて直接論じればいいではないか。なぜなら、わたしが古代ギリシャ語を読めることを知ってもらいたいからだ。なぜそれを知ってほしい？　読者に「エトス」という言葉を英語に翻訳して説明できるという特別な「エトス」が得られるからだ。それが理由だ。自分が知っていることを話しているように思わせることができるからだ。それによってさらに効果的にあなたを説得することができる。エトスのなせる業だ。

ロゴスはエトスより定義しやすく、頭に入りやすい。基本的に「論理」（logic）を意味する。事実と数字。あるいは、まだ「論点の根拠を評価する」／「論点の根拠を分析する」のテンプレートに支配されているのであれば、「根拠」ということになる。だが、注意してほしい。事実だけでは議論に勝てない。事実、わたしたちは不合理な生き物だから、アリストテレスが打ち出したレトリックの三要素（エトス、ロゴス、パトス）のうち、ロゴス（論理）がいちばん後回しにされる。だからと言って、どんな段落でも関連性が読み取れる説得力ある事実を読者に提示する必要はない、ということではない。それはすべきだし、しなければならない。読者を説得するには情報（事実）を提示するだけでなく、もっと多くのことが必要であるからだ。

パトスは奇妙だ。情熱、苦しみ、あるいは感情を意味する。適切なエッセイには入り込む余地がない、具体的な提案の真否を問うエッセイには含ませることができないと思うかもしれない。だが、ひょっとすると、アリストテレスが唱えるレトリックの三要素（エトス、ロゴス、パトス）の中で、パトスがいちばん重要かもしれない。エッセイにおいてパトスを使って自分の主張を打ち出すことで、自分が言っていることは正しい、真実である、と読む者に思わせることができる。すでに指摘したとおり、わたしたちは不合理な生き物だ（このように、重要な論点は何度も繰り返さなければならないし、ほかの無視したい重要なことも同じだ）。物事を決断する際には、感情が大きな役割をはたす。少なくとも事実を理解するのと同じくらい、大きな役割をはたす。

例を示す。イギリスは過去二五年にわたる他国への軍事介入において、自分たちが侵略し、占領し、あるいは保護しようとしている異国の人々の「心をつかむ」ことの重要性を強調してきた（「保護しようとしている」という言い方が、「侵略しようとしている」「占領しようとしている」よりいい印象を与えることにお気づきだろう。エッセイにおける言葉のトーンが、パトスを効果的に用いる要素となる。軍事介入支持を打ち出すのであれば、「保護」または「解放」といった言葉があてられる。パレスチナは長年「英国保護領」と呼ばれていたが、なるほど「植民地」や「軍事併合」よりも響きがいい。軍事介入を支持しないのであれば、「侵略」「占領」あるいは「侵略戦争」といった言い方をすることになる）。

「心と精神」では、最初に「心」が来て、「精神」はそのあとに来ることにご注目いただきたい。まずは読者の信頼を勝ち取り、論理的な議論を通じて巧みに説得する必要があるのだ。これにパトス（情熱、苦しみ、感情）を用いるか、用いないか、のいずれかだ。そしてこうは言えないだろうか？　わたしたち人間は自分たちが理性の塊であると思っているが、感情的本能を正当化するツールとして論理（ロジック）を手に入れようとしているだけではないだろうか？　多くの人にとって論理は議論に勝つためのツールになる。真実はこのプロセスにおける副産物にすぎない。

レトリックに頼り過ぎると、信頼が減る

レトリックが「説得力のある言葉」「効果的な話し方」と定義されることはすでに述べた。だが、ある人物に、わたしはこれを使ってあなたを納得させようとしている、と気づかれてしまえば、たちまち効果がなくなる。自分が操られていると感じて気分がいい人がいるだろうか？

「自分が操られていると感じて気分がいい人がいるだろうか？」という言い方は、レトリック効果を狙った質問だ。非常に効果的なレトリックの技法で、後にくわしく説明する。ここで言いたいのは、わたしは読者である皆さんを操り、わたしに同意させた、ということだ。特に、普通の言い方のように聞こえるが、最後の「……だろうか？」という言い方でかなり強く同意をうながす。皆さんに気づかれないようにそれをしようと思ったのだ。

ところで、明らかに「はい」という答えが想定される質問ばかりする人には注意したほうがよい（「英語を話せますか？」とか「空は青いですか？」といった類の質問だ）。というのは、彼らはおそらくそのあと、あなたの答えが普通は「いいえ」となるようなことをたずねようとしているからだ（たとえば、「恵まれない猫について少しお話を聞いていただけませんか？」といったことだ）。

よろしい、だから心の準備はしておいたほうがよい。それを受け入れてしまうかもしれないからだ。実際、レトリックを使ったもっとも効果的な話し方は（説得を試みる言い方となるだろうか）、レトリックを使わずに話すことだ。結局、誰かに何かを伝える上で何より効果的なのは、

自分の考えをできる限り簡潔に話すことではないだろうか？（お気づきのように、この「……だろうか？」もレトリックを使った聞き方だ）

言うは易く行うは難し。本章で「レトリックを使わずに、自分の考えをできる限り短く簡潔に伝える」ことをしようとかなりの労力を注いできたし、言葉を必要以上に使ってしまえば、読者の興味を逆に削いでしまうこともわかる。だが、本物でもまやかしでも、率直に話せば信頼が築けるのだ。

芸術とは、あなたの芸術を隠すこと。

ローマの詩人オウィディウスは言った。最も効果的なレトリックは、平易に話すこと。つまり、シンプルな（だが説得力のある）言葉を巧妙に使い、聞いている者に説得されていると気づかれないようにすることだ。だから昔から人前でのスピーチではよく、「わたしは人前で話すことに慣れていませんが……」といった言い方がされることになる。洒落《しゃれ》た言葉や言い回しで皆さんを欺《あざむ》くようなつもりは毛頭ありません、と言っているのだ。ただ物事を明白でありのままに伝えようとしているのだ。

オリバー・クロムウェルは、王の肖像画はできるだけきれいに描くという伝統に反し、絵師に自分の姿を「ありのまま」に描くよう命じた。クロムウェルの肖像画をめぐるこの逸話は、肖像画そのものよりもはるかに広く知られているし、どんな肖像画よりもクロムウェルの性格に対する印象を上げている。なぜなら、クロムウェルは、見た目より真実を重視した、と感じさせるからだ（だが、言うまでもなく、「これがクロムウェルをよく見せる」ことになる。この「これがクロムウェルをよく見せる」という「シンプルな言い方」がどれほど強力か、おわかりだろうか？）。

つまり何が言いたいかと言えば、聞いている人たちを納得させようとして派手な言葉を使おうとすることがあれば、注意しなければならないということだ。少しで十分だ。

段落を改めるたびに、エッセイを書くにあたって最初に掲げたタイトル（命題）を見直そう。ここから逸れてしまっても構わないが、どうして逸れるのか認識しておく必要がある。何と言っても、「質問に答える」ことを常に念頭に置くこと。それを心がけないと、あなたの時間だけでなく、（それよりはるかに重要なことだが）読者の時間をむだにしてしまう。

とはいえ、誰かとの会話において、自分が知っていることについてずっとしゃべりつづけるのはむずかしい。だが、エッセイの執筆では、自分自身と会話すればいい。自分ひとりでどちらの考え方も展開できるから、さほどむずかしくないと思う。レトリックを用いた聞き方で自分が答えやすい質問に戻すこともできる。

「レトリックを用いた聞き方」とは何か？　この言い方自体がレトリックを用いた聞き方だ。なぜそんなたずね方をする？（これもレトリックを用いた聞き方だ）

幅広く議論したい、どうしてもそのことを読者に理解してもらいたいのであれば、自分に質問して答えてみればいい。次々にレトリックを用いた聞き方をすると、どうなるか？（明らかにレトリックを用いた聞き方だ）。読者は、あなたは思考の流れを見失ってしまっている、と思うだろう。そして、次の段落で新たな議論を始めてほしい、と望むだろう。

「エトス」「ロゴス」「パトス」の絶妙なバランス配分とは

ここで皆さんに作業をお願いしたい。わたしのウェブサイト（thesupertutor.co）から文章を三本取って、その中におけるエトス（誰に語らせるか）、ロゴス（論理）、パトス（情熱、苦しみ、感情）の役割を確認してみてほしい。言うまでもなく、わたしのウェブサイトの目的は、わたしは紛れもなくすぐれた教師だ、あなた（またはあなたの子供）を天才に変えてしまうから、あなたは有り金を全部わたしに差し出してしまうのがいい、と皆さんを説得することだ。ついては、バランスの取れたエッセイがすべきこと、すなわち反対の意見を検討する時間を割くことはしない。この場合の反対意見とは、わたしは愚かな教師であり、山師だ、あなたからお金をむしり取り、あなたの脳を意味のないことで満たそうとしている、というものだ（いずれにしろ、この反対意見を裏付ける証拠をわたしがあまり与えていないことを願っている）。

みなさんに取り組んでいただくのは、次に示す三つの文章において、わたしがエトス、ロゴス、パトスのどの技法を使っているか、各文章の脇にそれぞれの頭文字Ｅ、Ｌ、Ｐを記すことだ。

1　わたしはウィンチェスター・カレッジからオックスフォード大学に進学し、卒業後一七年間、何千時間も費やし、何百人という子供たちを指導してきた。作家のウィリアム・モリスは、「家には役に立たないと思うものや、美しいと感じられないものを何ひとつ置くべきではない」という言葉を残したが、教育についても同じことが言えると思う。すなわち、教育の目的は、役に立つ、美しい、望むらくはその両方であると思えるもので頭を満たすことだ。

2　指導した約半分の生徒が、もっとも入学試験がむずかしいと思われるウィンチェスター、イートン、ウェストミンスターの三校に合格している。三校の平均合格率は約二五パーセントとなる。わたしの指導の信頼度は数字に表れている。

3　わたしは億万長者の子供たちも難民の子供たちも指導してきた。何人かの生徒はロンドンでもっとも授業料が高額な、最高水準の学校に通っているから、わたしの指導が特に必要なわけではない。各分野の非常に学識の高い教師が何人もついているはずだから、合格できないはずはない。貧困家庭の子供たちも指導していて、その子たちからは通常の料金の一〇〇分の一ほどしかいただいていない。なぜそうするかと言えば、わたしは自身貧困家庭に育ち、優秀な学校に入ることで、人生が大きく変わるとわかっているからだ。指導している生徒の何人かは学力が秀でているから、どの子が成功するかは常に容易に予測がつく。だが、子供たちが一流校に入れるかどうかは家が裕福であるかないかで決まるわけではない。子供たちが「満遍なく学習すること」を信仰しているかどうかで決まるのだ。つまり、学ぶことが本当に大好きで、科目を選ばずに学習しているだろうか？　それともただ試験に合格するために勉強しているだけだろうか？　学習することを心から愛している生徒に出会い、成績や評価は芳しくなく、奨学金をもらっているわけでもないにしても、本当に勉強したいのだなと感じられるのであれば、過去はどうであれ、この子の将来は明るいと感じる。

1はエトスだ。わたしは自分がこれだけのことをしてきたと権威や専門知識を打ち出しているし、ウィリアム・モリスという権威や専門知識を備えた人物の言葉を援用している。

2はロゴスだ。論理的な議論を通じて、読む人たちにわたしが正しいと思わせようとしている。ここでは関連する事実を引用し、「わたしの指導の信頼度は数字に表れている」という理にかなった主張を打ち出している。

3はパトスだ。ご注意いただきたいが、わたしはここでひとつの事実だけを主張しているわけではない。そうではなく、富裕層と貧困層、特権が与えられた階級とそうでない階級の人たちを比較することで、読む者の感情を刺激しようとしている。そのうえで、そうした格差は問題ではない、教育にはこの根深くおそろしい格差を消し去ることができる何かがある、と述べているのだ。好奇心を持つことですべてが変えられると認識すれば、誰もがそれを実現できる、と言っている。

わたしは読者に社会の分離によって不公平と痛みが突きつけられているという問題を提起し（億万長者の子供たちもいれば、難民の子供たちもいる）、そのあとわたしたちには希望がある、皆同じである、どんなに恵まれない出自であろうと世に出ていくことができるという希望と人間性の概念によって、この問題をとらえ直している。恵まれない子供たちの世話をしていると言えばいい人であると思われるから、多少エトスも盛り込んでいる。だが、ここではほぼ一貫してパトスを展開していると言えるだろう。なぜなら、ここで目にする言葉を、あなたは考えるというより、感じるからだ。

つまり、エトス、ロゴス、パトスは、それぞれ異なるツールであり、次の三つの条件に応じて、異なる比率で用いられる。

●何について議論しているか

戦争を開始するか否かについて論じているのであれば、感情が入り込む余地がある。だが、ロンドンの高速幹線道路二十五号線にはどのルートで行くのがいちばん早いか、大声で自分の意見を伝えようとしているのであれば、感情が入り込む隙間はない。

●誰と意見を交わしているか

試験問題を作る者はロゴスが好きで、引用や例を持ち出して論理を裏付けようとする。幼児はエトス（たとえば「いい子でいるかい？」）とパトス（たとえば「おもちゃをみんな使って楽しく遊ぼう！」）によく反応する。

• あなたが誰であるか？

あなたが十三歳で、何かの教授でもなければ、エトスにはそれほど執着しないだろう。だが、もちろん自説を支えるために、その分野に通じた者の意見を自由に引用できる。わたしがそのためにどれだけ名の知れた者たちの言葉を引用してきたか考えてほしい。

シンプル・イズ・ベスト

エトスは単に「これは誰の言葉であるか」を告げるものではないし、自説を裏付けるために権威ある者の名前をその言葉とともに引用することではない。エトスという言葉が意味するのは、自分は専門的な言い方を正しく理解していると示しつつ、時にそれらを正確に口にすることだ。言葉を使うにあたっては、正確さが重要だ。加えて尊大な言い方は厳禁だし、実際とは違うふうに思わせてはならない。回りくどい言い方も避けるべきだし、他人の発言を自分の発言であるように思わせてはならないし、やたら長い語を使うのもやめたほうがいい。もはやおわかりかと思うが、わたしが書いているこの文がまさにそれだ。何か必死に伝えようとしているのはわかるが、そうやって自分が言っていることがわからないことを押し隠そうとしているとしか思えない。今言ったような言い方をする、長い語を何度か使うのであれば、短く文を切って用いるのがいちばんよい。もうひとつ別の長い語を並べてふたつの語の違いを理解していることを示すか、少なくともその長い語の意味を確かに理解していると示す文にする必要がある。

だが、これを試みるにあたって長い語を使いすぎてしまっていると感じるのであれば、おそらくそうだ。マーク・トウェインも言っている。

　五〇セントの語で十分な場合は、五ドルの単語は使用しないこと。

シンプル・イズ・ベスト、簡単に記すのがいちばんだ。マーク・トウェインはこうも言っている。

　形容詞を見たら、消せ。

文章を書きなれていない人は、形容詞をちりばめて自説を打ち出し、文をきらびやかにしたがる傾向がある。

また執筆を進めるにあたり、あまりに曖昧な言い方をしたり、説明しすぎたり、必要以上に単純な語をあてたりすることも避けなくてはならない。ひとつのアイデアをふたつの文で論じる必要があれば、迷わず二文に割くこと。文の途中で気が変わるようなことがあれば、よく考えずに書き出してしまったということだ。書き終えなかった文は消し、ペンを置いて、自分は一体何を言いたいのか、よく考えてみよう。自分自身を信じ込ませることもできないのに、読者を説得できるはずはない。故障するとわかっている車を人に売りつけるようなものだ。顧客を豊かにするどころか、不幸にする金融商品を勧めるようなものだ。

あなたの本心を書くということ

わたしは多くの有名な男性と女性の言葉をすでに引用している。といっても、男性の言葉が圧倒的に多い。わたしが男性であることもあるだろうし、歴史において男性が残した言葉が多く広まっていることもあるだろう。だが、有名人の言葉を引用すれば、それで会話がうまく収まるということはない。その言葉を引用した人物が今どれだけ著名であっても、死ぬまでに愚かなことや間違ったことを言ったり行ったりしないことはまずありえないのだから。

今日もっとも偉大な思想の持ち主とされる人物たちの中にも、一〇〇〇年後、一〇〇年後、あるいは十年後にでさえ、利己的で物事を近視眼的にしかとらえられない愚かな者と思われてしまう人もいるだろう。もちろん、それ以前に、完全に忘れ去られてしまう者がほとんどだ。これは避けられないだけでなく、必要なことだ。だからわたしたちは古典を読む。昔書かれたことが何もかも正しいからではない。それは過去と対話して古い権威を引っ張り出し、そこにあるとされる知恵に、当時はまだなかったが今はある知識という新しい光を当てることなのだ。古《いにしえ》の知恵は今も真実だろうか？　何の意味もないだろうか？

すでに見てきたとおり、エトス（ethos）は倫理（ethics）を意味する。「エトス」も「倫理」も同じギリシャ語から来ており、どちらも基盤となる概念は「共感」（empathy）だ。世界についてどう思うか？　他人をどう思うか？　あなたはどんな人か？

ある意見に賛成か反対か公開で討論する場に行くと、参加者はまずある命題に賛成であるか反対であるかたずねられる。そして討論を聞いたあと、その命題を支持するか否か、ふたたび問われる。討議の勝者と判断されるのは、この二度目の投票で多くの票を得た者ではない。討論を通じて多くの人の考えを変えることができた者だ。

エッセイの執筆では、ある意見に賛成する者も反対する者も演じることができる。だが、留意しなければならないのは、それは読者も同じだということだ。

「死刑制度にまつわる議論」の場合

では、もうひとつ別のエッセイの執筆計画を紹介しよう。すでに述べたが、すぐれたエッセイはテニスの試合のようだ。なぜなら、ふたりのすぐれたプレイヤーがお互いにボールを激しく打ち合い、最後までどちらが勝つか判断がつかないからだ。最後の段落まで応酬が続く。

ふたつの意見の打ち合い（段落ごとに展開する）を成立させるには、一方の意見のあとに対立意見を示す必要がある。番号を振って、この順序で提示するのが理想的であると示した。心配ない、これによって生き生きとした感じを打ち出せるし、読者の注意を引きつけられる。

1に対して2を、3に対して4を、5に対して6を、それぞれを「鏡合わせ」に提示すること。わたしは三つの考えがあり、それに対する三つの反対意見を打ち出し、合計六個の論点を示した(七番目の意見に反論を見出すことができず、これがわたしの最終的結論となる)。

最終的結論が、もっとも重要だ。次の「アメリカでは、死刑制度は廃止すべきか?」のやりとりで、七つの意見のうちもっとも重要と思う論点ふたつを太字で示した。二番目に重要と思われる論点で書き出して(番号1を振った)、もっとも重要と思われる論点で締めるのがベストだ。どうしてか? それがショービジネスの基本ルールだからだ。そのようにして聴衆の注意を引きつけ、もっと観たいと思わせることができるのだ。

アメリカでは、死刑制度は廃止すべきか?

死刑制度は廃止すべき

1 EU加盟国では死刑制度は廃止されている(民主主義、法の制度、宗教と国家の分離、そして死刑制度と、アメリカはヨーロッパからさまざまなよい考え方を得てきたことを思い起こすべきである)。[エトス]

3 死刑は殺人の抑止力として機能しない。アメリカは西側諸国でもっとも殺人事件の発生率が高い。[ロゴス]

5　「人は殺すべきではない」［エトス］

7　殺人事件の裁判において、取り返しのつかない過ちが起こる可能性がある。罪人は不法投獄の補償を受けることはできる。だが、死刑が執行されれば、取り返しがつかない。［パトス］

死刑制度は廃止すべきでない

2　貧しい国は危険な者たちを（彼らは常に危険な存在で、社会に何の貢献もしない）この先ずっと生かしておけるだろうか？　刑務所の維持費は相当なものだ。［ロゴス］

4　いろんな意見はあるが、死刑は究極の犯罪抑止力を備えている。［ロゴス］

6　「目には目を、歯には歯を」［エトス］

アメリカでは州によって死刑制度を廃止しているところと廃止していないところがある。今も五十州のうち二十一州で死刑が存続している。注目すべきは、死刑制度の是非が問われるようになったのはここ三〇年であるということだ。死刑制度は廃止すべきでないという意見は一九九四年にはアメリカ全体の八〇パーセントを占めていたが、二〇一六年には四九パーセントに落ち込んだ。どういうことかというと、死刑判決が下されたものの冤罪であるとして釈放された「元死刑囚」が、公の場で次々に発言するようになったことが大きく関係している。彼ら「元死刑囚」が、もし冤罪判決が下されたことが明らかにされなかったら、今は生きていない、と各種集会で訴えるようになったのだ。

生きている多くの者は死に値する。そして死者の中には生きるに値する者もいる。死者に生命を与えることができるか？　死の裁きを下すことに執着しすぎてはならない。非常に賢い者も、結末をすべて見通すことはできないのだから。

——J・R・R・トールキン『旅の仲間』

よって、何が効果的で、何が効果的でないか、論理的に議論する（ロゴスだ）ことで、あるいは権威ある人物の考えを持ち出す（エトスだ）ことでは、必ずしも人の心は変えられない。今は冤罪が認められて無罪が確定しなければ、死刑に処されていたかもしれない人たちの話を直接聞くことができるし、それによって感情的に強い衝撃を受けるかもしれない。それが議論を制する決め手になることもある。そこでパトスが働くのだ。心の中で正しいと感じることは、常に主張すべきだ。エトスとロゴスとパトス（広く言えばレトリックということになる）はそれを試みる道具に過ぎない。

3 質問への答えのパラグラフは、この5パターンに分けられる

私見では、むずかしい質問に答えようとするエッセイには、以下の五つのパラグラフが含まれる。

1 質問に賛成する（肯定的にとらえる。質問の主張に同意し、詳細や理由を述べ、信頼できる筋の引用を示す）
2 質問に反対する（否定的にとらえる。質問の主張に反対する）
3 質問の言い方に疑問を突きつける
4 質問の仮定に疑問を突きつける
5 すばらしい考えやアイデアをいくつも持つ

1「質問に賛成する」と 2「質問に反対する」——命題に肯定的か、否定的か

すでに言ったとおり、「反対の考え方」をしてみよう。ただし、すべてのエッセイにおいて賛成できるものと反対できるものを同数見つける必要はない。世の中にはどうにもならない悪い考えがたくさんある。それを摘発するために、各種委員会が存在し、議論が交わされる。悪い考え方が悪い法律に、悪い政策に、悪い映画にならないようにするのだ。いずれにしろ、あなたはどちらの側について議論を展開するか、すでにはっきり認識しているはずだ。自分とは反対の意見も考えていると示すだけでよい。

また、賛成か反対かの議論は疲弊をもたらすことにもなりうる。さらに言えば、どんな議論であれ、ふたつ以上の意見があるはずだ。ひょっとすると「賛成」「反対」の二元論にとどめることで、創造的に考えることや、すばらしい解決策を見出すことを抑えつけているかもしれない。ヘーゲルはふたつの相反する考えを打ち出した（テーゼとアンチテーゼだ。一二八ページで述べたが、覚えているだろうか？）。たとえば、資本主義と共産主義がそうだ。相反する考えはたがいに衝突し、争い、新しいコンセンサス（統合）を得る。現在、何もかもがそうではないだろうか？　ひとつの意見に対して反論が提示されれば、万事同じように展開するのではないだろうか？

だが、世界の流れに異議を唱える次の大きな考えは何か？　現在のコンセンサスや統合（ほとんどの人がネオリベラル資本主義と呼ぶ）を突き崩そうとするものは何か？　すなわち次のアン

チテーゼは？　イスラム・ファシズムか？　反グローバリゼーションのネオナショナリズムか？　どれも特に強力な考えとは思えない。何をもってしても、地球温暖化、経済的不平等、核戦争など、今日わたしたちが直面している大きな問題を解決できるとは思えない。世界が熱さも怒りも増し、危険度が高まっている今、次の世紀もふたつの考えのいずれかに賛成か反対かという議論に時間を費やす価値があるだろうか？

よって、何に対しても面白半分に反対するようなことがあってはならない。答えは実際どこにあると思うか、正直にならなければいけない。なぜ反対意見を考えるかといえば、自分が最初に主張したことを調整できるからだ。言ってみれば、高熱で鋼鉄を強化するようなものだ。

そして賛成、反対の両者の意見を十分に吟味し、最初に直感的に思ったことが間違いであるとわかれば、パラグラフをいくつか練り上げるだけでは得られないことをその時点で手にしている。自分に偏見がなかったか翻って考えることで、自分の考えを変えることができるのだ。これを世界中のあらゆる知識人が常時行っている。

3　質問の言い方に疑問を突きつける

「昔から言われているが、エッセイ（小論）を書き出す前にまずしなければならないのは、自分が書こうとしているものは何か、定義してみることだ」と本章冒頭で述べた。だが、実は途中で同じ質問を繰り返すことで、議論を興味深く、活発にし、論点が明確になる。「賛成」「反対」の論議が行き詰まっている時は、特に効果的だ。

だが、それだけではない。自説をどんな言い方で打ち出すか明確にしよう。エッセイ中でどんな言葉や用語を用いるかによって、議論の重要性が増すからだ。

一九四〇年、共産主義の立場を採ったイギリス人歴史家クリストファー・ヒルは、三〇〇年前に起こったイングランド内戦を見直す本を執筆した。ヒルが同書で確認したのは、次のことだ。イングランド内戦は一六四二年から一六五一年までの十年間にわたって繰り広げられたが、オリバー・クロムウェル率いる中産階級（ラウンドヘッズ）は貴族（騎士派）を打倒し、国王チャールズ一世を処刑した。クロムウェルは王政を廃止し、イングランドを共和制にした。その後クロムウェルが没すると、チャールズの息子がチャールズ二世として即位し、イングランドの君主制が再建された。イングランド内戦の結果、王の権限は制限され、議会が主権を握るものの、王は今も存在する。

だが、クリストファー・ヒルは同書の書名を『イングランド内戦』とすることはなかった。『イギリス革命　１６４０年』としたのである。

なぜか？　なぜ誰もが充てる「イングランド内戦」を使わないのか？　わざと事をむずかしくしたのか？　いずれにしろ、「内戦」と「革命」の違いは何か？

いかにもヒルは苦しんだが、目標はしっかり立てていた。イングランドでは一六四〇年以前にも内戦が時に勃発していた。土地の所有者であるふたつの貴族集団がたがいに争うこともあった。だが、それまで「革命」は起こらなかった。イングランド以外の世界諸国においてもそうだった。

「革命」という言葉はかなり具体的な意味を備えており、ヒルは自著の中心テーマを強調するためにこの言葉を意図的に用いたのだ。「革命」は階級闘争だ。下位社会集団が階級を意識し、上位集団の支配をひっくり返し、彼らに取って代わろうとする。ヒルの論点は、イングランドにおいては初めて中流階級が十分な力と教育を手にし、革命を成し遂げた、よってイングランド内戦ではなく、イングランド革命（イギリス革命）と呼ばれるべきだ、というものだった。

この「イングランド革命」（チャールズ一世は一六四九年に処刑）から一世紀以上ののちに、アメリカでも（一七七六年）、フランスでも（一七八九年）、中国でも（一九一一年）、ロシアでも（一九一七年）革命が起こった。そしてどの国もイングランド（イギリス）とは違い、君主制を今では完全撤廃できた（アメリカの場合は、外国であるイギリスの君主制による統治を解消することができた）。今はどの国も共和制がとられているが、イギリスは依然として君主制が敷かれている。どの国でも革命が成功したが、イギリスはそうではない。クリストファー・ヒル（先ほど述べたように共産主義者だ。それゆえに君主制には一貫して反対の意志を示す）は、イギリスで革命が成功しなかったことを強調するために、「革命」という言葉をあてたのだ。

歴史をひもとけば、わたしたちの国イングランドおよびイギリスがどのようにして今に至ったかわかる。歴史家は昔から一六四二年から一六五一年の出来事を「革命」ではなく「内戦」としてきたし、ヒルはこの言葉の変更を試みたが、突き崩すのはなかなかむずかしい。彼ら歴史家は言葉巧みに今日のイギリス人に真実を知られまいとする。一六四二年から一六五一年の十年間に起こったことを隠蔽しようとするのだ。イギリスの民衆が統治者を誰にするか、それをいかにして選ぶかという権利に目覚めてともに立ち上がり、国王を殺害した事実を知られたくないのだ。

クリストファー・ヒルによれば、イギリスの権威層がイングランド革命を公式に「内戦」とするのは、革命を求める階級闘争など起こらなかったとしたいからだし、おそらく今後もそのようなことがあっては困るからだ。同様に、クロムウェルの鉄騎隊兵士を中心に編成された新型軍が王党派の地上部隊を打ち負かしたことで、能力の程度にはそれぞれ差のある貴族層がイギリス陸軍の上層部を支配することになった。この事実により、どうしてイギリスの軍事的失敗が海軍や新たに設置された空軍ではなく、陸軍で次々に発生したか説明がつく。なぜか？ なぜならイギリスだけでなくどの国も、文民政府から力を奪うことができるのは陸軍だけだからだ。海軍の船も空軍の飛行機もあくまで輸送手段に過ぎない。人を遠くに連れて行くだけだ。世界の軍事独裁者はすべて元陸軍将校であり、海軍将官でも空軍准将でもないのだ。

よって、イギリスの王族は海軍と空軍の上官を誰にするかは適宜判断するが、陸軍に関しては最高位に昇格させるのは仲間の貴族だけにした。クーデター勃発を防ぐためだ。貴族の陸軍将校であれば、君主制を支持してもらえる。中産階級や労働者階級によって革命がもたらされれば、貴族も不利益を被ることにもなる。こうして過去において無能な軍隊指揮官が時折出てきてしまい、クリミア戦争における軽騎兵の突撃や第一次世界大戦におけるガリポリ上陸作戦のような惨事が引き起こされたのだ（第一次大戦ではほかにも多くの悲惨な戦いが繰り広げられた）。これがイギリスの軍事的失敗が海軍や空軍ではなく、陸軍で続々と発生した理由だ。

「内戦」か「革命」かといった言葉の使い方やそこに隠された意味について話しているが、ここで人物の呼び名や名前について考えてみよう。

チャールズ・フィリップ・アーサー・ジョージは二〇二二年九月八日にチャールズ三世としてウィンザー朝第五代国王に即位した。だが、チャールズ皇太子時代、権威筋は国王がチャールズの名前を出して国王として統治するとは思っていなかった。なぜか？　名前と名前に関連するイメージは非常に重要だからだ。少し先に戻ってもらえれば、チャールズ一世もチャールズ二世も国王として大成できなかったことがわかるだろう。チャールズ二世は無能ぶりを見せつけた最初の国王であり、チャールズ一世はすでに述べた通り断頭台で処刑された。

ウェイト・バット・ホワイ（waitbutwhy.com）というすばらしいサイト（p48）が、二十世紀の新生児によく付けられた名前を分析している。サイトの調査によると、一九四五年以降、予想されたことだが、アドルフという名前の男の子は激減した。だが、激減はしたものの、ゼロにはならなかった。わが子にアドルフという名前を付けるのがいいと思った親もいたのかもしれないが、その名前を付けられた子供は友達と遊ぶ時にはきっとつらい思いをしただろう。先ほど指摘した通り、名前と名前に関連するイメージは非常に重要だからだ。

この名前の例もあわせて、なぜ人はその言葉を使うのか、よく考えてみよう。本人もわかっていないかもしれないが、何かを隠している可能性が非常に高い。よって言葉は正確に使わなければならない。その言葉で何がわかるか、なぜその言葉を選んだのか、説明できるからだ。

4 質問の仮定に疑問を突きつける

イートン校の奨学金を得るには筆記試験をパスしなければならないが、その二〇一二年の問題がある。わたしも楽しみたいので、少し捻《ひね》って出題する。

戦争は怒りではなく恐怖から始まる。どのくらい賛成か。

与えられた命題や質問の意義そのものを問う選択肢もあることを、どうか忘れないでいただきたい。先ほどのセクションに示したように、質問の言い方に疑問を突きつけていいし、質問の根本的な前提あるいは仮定を攻撃してもいい。ここではまさに質問の仮定に疑問を突きつけてみたい。

そもそも誰が戦争を始めるのか？　民衆でも民主主義でもない。戦争が必要だと吹き込まれて人々の感情は高ぶるが、戦争突入を決断するのは指導者や一部のエリートだ。そしてその決断は彼らならではの論理や計算のほか、戦争によって自分たちにどれだけの利益がもたらされるかという判断によることが多い。

「戦争はほかの手段によって政策を維持することだ」とドイツの軍人クラウゼヴィッツは言った。戦争と政策は、実際はそうではないとしても、似ている。西洋の三大外交政策を理想主義度の高い順に並べれば、ユートピアン（もし～となればいいのではないか？）、グロチアン（実用主義と理想主義のバランスをとること)、マキアヴェリアン(正しいと思う政治目的のためにはいかなる手段も正当化される)ということになるだろうか。三つの論理にはどれも感情が入り込む余地はないが、どれも人が関係するから、実際にはすべてに感情が入り込んでいる。

わたしはこう考える。

「戦争は怒りではなく、恐怖によってもたらされるか」という質問の背景に、質問者があらゆる戦争は国家の意思表明として開始されると想定していることが読み取れる。これは明らかにふたつの点で間違っている。戦争を開始するに至る決断は国家全体が下すものでもなければ、感情によってもたらされるものでもない。ここでもまた、戦争開始を決断した一部のエリートが国民に嘘を信じ込ませようとしているのだ。彼らはあらゆる手を尽くし、人民に、特に戦争で戦って死のうとしている人たちに、この嘘を信じ込ませようとしている。よって、この質問を攻撃し、突き崩さなければならない。

5 すばらしい考えやアイデアをいくつも持つ

わたしは生徒たちが学校で何を学んでいるか、折にふれてたずねている。自分の生徒に関心があることもあるが、それ以上にほかの教師が彼らにどんなことを教えているか知りたいからだし、機会があればそれを借用したいと思うからだ。だから生徒のひとりがつい先日ある授業でエッセイの書き方を習ったと聞くと、ぜひくわしく知りたいと思った。その先生は強い考えをお持ちのようだった。すなわち、「すばらしい考えやアイデアをいくつも持て」と生徒に伝えたのだ。単純明快な教えではないか？　人はすばらしい考えやアイデアをいくつも持ちたい。だからそれをいくつか紙に書き記すだけでうまくいく。日々幸せに過ごせる。

もちろん皮肉を言っているわけではない。「すばらしい考えやアイデアをいくつも持つこと」。これはこれまで耳にしたエッセイを書くための最高のアドバイスであり、読者諸氏にもぜひ受け止めてほしい。誰もが頭の片隅にすばらしい考えやアイデアを宿して、何かのきっかけでそれが飛び出す可能性がある。自分のすばらしい考えやアイデアをどこで使うか、エッセイの枠組みにおいてどう機能させるか、読者に示すか、それとも示さずにおくか。すばらしい考えやアイデアを思いついたら、どのように使うか考えなければならない。

オランダの偉大なサッカー選手であり名監督としても名を馳せたヨハン・クライフ（バルセロナの監督を務めた時にはジョゼップ・グアルディオラも指導した）は、フォワードも中盤もディフェンスも、フィールドのどのポジションもこなした。スター選手はどこでプレイしてもスターだ。そして、エッセイは構成も大事だが、いちばん重要なのはすばらしい考えやアイデアを提示することだ。どうすればすばらしい考えやアイデアを手に入れることができるか？　簡単ではない。時間が限られていればなおさらそうだ。

モンティ・パイソンのメンバー、ジョン・クリーズは、イギリスでもっとも愉快な人物のひとりだ。クリーズはどのようにしてすばらしい考えやアイデアを思いつくか、次のように述べている。

これが創造性に関する驚くべきことだ。すなわち、心を開いて、だが粘り強く対象に身を寄せれば、創造性は遅かれ早かれ、いつのまにか転がり込んでくるのだ。

どんなエッセイを書くか計画を練る上で、ジョン・クリーズのアドバイスに何か補足するとすれば、これだけだ（われわれはエッセイの構成について今も考えている。カンマをどこに打つか悩んでいるようだと、世界を揺るがすようなアイデアを思いつくことはない）。

一見何のつながりがないように見えるものも、たがいに結びついている、と考えてみよう。

「オッカムの剃刀《かみそり》」はすばらしい。これは十四世紀の哲学者・神学者のオッカムのウィリアム）が打ち出した理論で、たいていもっとも単純で明白な説明が正しい、よって複雑な追加説明は「剃刀」で削除する必要がある、というものだ。だが、この理論が常に正しいとは限らない。なぜなら、（歴史家に確認してほしいが）複雑な出来事には複雑な発生要因が付随することがよくあるからだ。いずれにしろ、ある者には明確だが、ある者にはそうでないことがよくある。

よって、創造的に考えるのであれば、明確にはつながっていないと思われるものをつなぎあわせてみよう。何か面白いことを思いつくかもしれない。またエッセイを誰に対して書くにしろ、知的想像力で読者を興奮させられるなら、まったく的外れなことにはならない。特に刺激的だと思うアイデアをふたつ紹介する。

秀逸なアイデア1　もっと亜鉛酵母を

一九九九年、イギリス外務省は哲学者エドワード・デボノに少なくとも一〇〇年にわたって続いてきた中東紛争の解決を託した。一体どういうことか、複雑すぎてここで説明するのはむずかしいが、石油、イスラム教、欧米諸国による植民地政策、英仏露間で密かに中東分割を定めた一九一六年のサイクス・ピコ協定締結、一九四八年のイスラエル国家創設が背景にある。

これに対するデボノの秀逸なアイデアはこうだ。

中東の人たちはパン種《だね》を使わずに焼き上げるチャパティ（フラットブレッド）を主食としている。パン種はパンを作る際に生地中の糖分を発酵させるために用いる酵母で、イーストともいう。だが、パン種はパンをオーブンで焼き上げる時にパンを膨らませるだけではない。特に脳の機能を活性化する亜鉛酵母を大量に含んでいるのだ。亜鉛が不足すると、人はイライラし、ちょっとしたことで怒りを爆発させてしまう。そこでエドワード・デボノは次の提案をした。

大量の亜鉛を含むマーマイト（サンドイッチ用スプレッド）を中東諸国に送ること。これによってこの地域の国々の人たちの怒りは抑えられ、和平交渉につながる。

これはうまくいかなかった。デボノはこの提案をしたものの、それ以降も中東でいくつか戦争が勃発し、何百万人もの人々の命が奪われた。

このことはデボノの考えが単純すぎることを示している。ある国々の人たちが少し怒りっぽいからといってその地であれほど多くの戦争が起こるわけではない。

だが、エドワード・デボノがどのようにしてこのアイデアを思いつくに至ったか、考えてみよう。もちろんわれわれにできるのはデボノの思考プロセスを推測することだけだが、デボノがこのアイデアをどこからどのようにして思いついたのか、ひとつずつ見ていこう。最初はある政治問題について考えたのは確かだが、それをまったく異なる観点でとらえ直したのだ。ある国の政治がその国の文化に根ざしているのは事実だ。そして国の文化を担うもののひとつに、「食事」がある（フランスのナポレオンが「軍隊は食事で動く」「腹が減っては戦《いくさ》ができぬ」と言ったように、特に戦争している国には食事が重要だ）。デボノは政治から始まり、文化について、食事について考えたのだ。こう書けば、なるほどと思うだろう。

秀逸なアイデア2　鉛の使用禁止

これも「鉛」という文字に関連するもので、エドワード・デボノの「もっと亜鉛酵母を」と同じ時期に打ち出されたが、それよりはるかにスケールが大きく、そしてうまくいった。一九七〇年代、ガソリン、塗料、配管に含まれていた鉛が、子供の脳の発達に悪影響を及ぼし、知能を低下させ、暴力的にする、と報告されたのだ。飲料水を伝えるパイプは何世紀にも及んで鉛で作られてきた。

一六〇〇年前にローマ帝国が滅亡したことに関してひとつ言われているのは、ローマ人は鉛で汚染された水を飲んでいたことで健康状態を害したということだ。ルイス・キャロルの『不思議の国のアリス』のマッドハッターは、帽子を作るにあたって鉛を含んだ化学物質に長時間触れていたため、精神がおかしくなったという説がある。

だが、今日、加鉛ガソリンの使用がついに禁じられたことで（EUで禁止されたのは二〇〇六年。実現に向けて世界中で何十年にもおよぶ努力がつづけられた）、暴力犯罪は全世界で劇的に減少している。国連は青少年の死亡者数は一二〇万人少なくなり、犯罪件数も五八〇〇万件減少したと見ている（もちろん、すべての死亡者数、犯罪件数の減少が、「鉛の使用禁止」によるものではないにせよ）。

「鉛の使用禁止」を思いついた人は、大勢の人たちの命を救い、さらに大勢の人たちの健康を改善したのだ。

思いついた考えやアイデアがすべて思った通りにうまくいくとは限らない。おそらくほとんどはうまくいかないだろう。だが、いくつかはいい結果をもたらすのも確かだ。

人類にはすばらしい考えやアイデアが必要だ。火と道具と言語を生み出して以来、人類は常にすぐれた考えをいくつも手にしてきた。気候変動を解決する人はすでにこの世に産み落とされているはずだ。その人たちがすばらしい考えやアイデアをたくさん持っていることを祈ろう。彼らにすばらしい考えやアイデアがなければ、もはや気候変動は止められないかもしれない。だからすぐれた考えやアイデアを持ってほしい。きみたちに期待している。

Chapter 5

ストーリーをどう語るか

HOW TO TELL A STORY

1 「動き」「会話」「描写」

スティーヴン・キングは自伝『書くことについて』（小学館文庫）で、自身の文章作法について簡潔にまとめている。キングは文には次の三つに関するものしかないという。

1　動き
2　会話
3　描写

わたしの生徒にストーリー（物語）を書かせてみると、ほとんどは1の「動き」についてはたくさん書いてしまうが、2の「会話」は十分に書けない。よくわかる。なぜなら、「動き」を書き連ねることで、ストーリーを語ることができるからだ。だが、読者に何がストーリーのリアルさを感じさせるかと言えば、3「描写」（そしてある程度「会話」）にほかならない。そしてストーリーにリアルさが感じられなければ、読んでもらえるだろうか？
まずは「動き」を書いてみよう。

「真実を語るが、斜めに語る」

ストーリーを書くことは、マーク・トウェインが言うように、人生と同じで「常に真実を語れば、何も記憶する必要はない」。ストーリーをつくる者は、信頼できる報告者の半分程度の語彙しか用いない。細部やイメージを一部描写するだけで、洞察もわずかに試みるのみだ。マーク・トウェインが作り出したハックルベリー・フィンも認めるように、真実を「引き伸ばす」ことも受け入れられるが、どんな嘘もふたつの真実の間に隠蔽されるのがもっとも望ましい。つまり細部がどれだけ幻想的に思えても、ストーリーはすべてついこのあいだ鮮明に経験したことに基づいて語られなければならない。なぜなら著者が自ら経験したことは、そうでないものより、感覚的、感情的な描写が五十倍はリアルに感じられるからだ。

嘘はふたつの真実の間に隠すのがベスト

ストーリーの設定や登場する人物がどれほど風変わりでも、それを読むのは人間であることを忘れてはならない。人間であるから、誰もがどんな形であれ、あなたが経験している世界とほぼ同じ世界を、ほとんど同じ方法で（すなわち目、耳、鼻などを通して）、経験している。だからあなたの世界を読者の世界と常に結びつける必要がある。それによって、あなたの作り上げるあり得ないと思える話も、読者にリアルに感じてもらえるのだ。以下に例を示す。

ジョージ・ルーカスは子供の頃、ホットロッドに強く興味を抱いていた。ホットロッドは一九五〇年代から一九六〇年代にアメリカで流行《はや》ったやや質の悪い車だ。これに乗る者たちはほかの車よりスピードを出すために、少し危険な改造を施した。ホットロッドは当時のサーフィンやロック・ミュージックなどの若者文化を象徴するものだった。ルーカスは一九七七年に『スター・ウォーズ』の第一作を作り上げるが、覚えているだろうか、映画の舞台は「遠い昔、はるか彼方の銀河系で」だった。ルーカスはホットロッドに対する自分の強い思いを、遠い昔、はるか彼方の銀河系のハン・ソロに託したのだ。

ハン・ソロは車など運転していない、とあなたは言うかもしれない。その通りだ。だが、彼は宇宙船ミレニアム・ファルコンを操縦した。ミレニアム・ファルコンは紛れもなく宇宙を駆けるホットロッドだ。ルーカスは自分が現実的と思うものを取り入れて細部を少し変更し、魅力的なものに仕上げたのだ。

同じようにレーザー銃で撃たれるのはどんな感じか、誰もわからない。ひょっとするとトースターで火傷《やけど》するくらいかも？　そんなものじゃない、もっと熱いはずだ。

よし、そのレーザー銃と刀をあわせて、ライトセーバーを作ろう。まだ誰も見たことがないけど、想像はできる。本当にすごく熱くて、すごくよく斬れるクールな刀だ。

ミレニアム・ファルコンとライトセーバーを作り出したジョージ・ルーカスは、紛れもなく天才だ。なぜなら、はるか彼方の銀河系にわれわれがよく知るものを放り込んで、はるか彼方の銀河系はどんなものか、わたしたちに実感させることに成功したのだから。これを物語で行わなければならない。どれだけ幻想的な世界であろうと、ストーリーを自分が知る現実の中で描写しなければならない。そうすることで、読者を自分のストーリーの世界に連れていける。

まずは個人的なものにする、そのあと細部を変える

ジェームズ・ボンドを作り出したイアン・フレミングは、以前はＭＩ６の職員だった。専門知識で何が書ける？　想定読者を考えてみよう。人は新しいことを知りたい。だから教師は常に生徒に「休日に何をしましたか？」という題で書かせる。教師も面白い話を読みたい。本当だと思える話を楽しみたい。興味を惹かれる国に旅行したとか、超高級ホテルに泊まったとかいう話ではない。そういうところでは面白いことはほとんど起こらないだろう。普通でない状況が面白いのだ。人は今まで見たことも聞いたこともないものを求める。たとえあなたにはひどく退屈でありふれたストーリーでも、読んでくれる人たちにとってはそうではないかもしれない。

完全に個人的で自分をすべてさらけ出すものである必要はない。自分自身のことがどこかに含まれていればそれでよい。だが、自分のことが書かれていないと、単なる作文の演習になってしまう。

物語に必要な「因果関係」

「王が死に、王妃が死んだ」

これは順に起こったふたつの別の出来事を記しているだけだ。

「王が死に、王妃は悲しみに暮れて死んだ」

これには因果関係と結果が読み取れる。これが物語に求められるものだ（E・M・フォースターが残した言葉だ）。

『サウスパーク』は過激な描写や社会風刺で知られる長寿アニメ番組だが、原作・監督・脚本を務めるトレイ・パーカーとマット・ストーンは、ストーリーに関して、ひとつ決めていることがある。ライターに各話のストーリー案を提示されると、「それからどうなる？」とすぐにふたりでいくつかの可能性を考えるのだ。パーカーとストーンにとって、「それから」はストーリーに不可欠だ。なぜなら、そこにあるべきものがないからだ。ふたりがストーリーに関して決めているルールは、「因果関係」を考えることだ。ふたりにとっては、「何かがなぜ起こったか？」は、「何かが起こったか？」より少なくとも重要なのだ。単に「そして」と言うだけでは、物語の時間軸はわかるが、「なぜ起こったか」はわからない。

ストーリーの存在理由は、因果関係を示すことだ。わたしたち人間は因果関係を求めるから、常に物語を必要とするし、この先もそれはおそらく変わらない。物語はわたしたちが実際にその行動を取らなくても、もしそうしていたらどうなるかを教えてくれる。科学は世界の多くの側面を説明してくれるから、ひょっとしたら物語（あるいは宗教）をすでに超えているかもしれない。だが、愛や、経済学（「学」とついているが、科学のようなものにすぎない）や、わたしの専門分野である教育など、科学にはまだ解決できていないものがある。

「始まり」「中間」「終わり」の三場面

すでに言及したとおり、ストーリーには「動き」「会話」「描写」の三つに関するものしかない。三つとも同じ分量にする必要はないが、何を書いたらいいかわからない時は、次のように考えてみよう。

動き
会話
描写

何も書いていない紙に、「動き」「会話」「描写」と記し、その下にそれぞれに関することを書いてみよう。おお、一段落書けたようだね。では、次の段落も書いてみよう。

アリストテレスが述べたと言われるが、ストーリーには「始まり」「中間」「終わり」の三幕がある。アメリカの劇作家デイヴィッド・マメットは、この考えを次の三幕で説明している。

1　あなたのストーリーの女性主人公が木に登る
2　彼女に石が投げつけられる
3　彼女を木から降ろす

では、この三場面を基に、短いストーリー（物語）を書いてみよう。今挙げた「動き」「会話」「描写」の三つを、それぞれパラグラフ（段落）を立てて書いてみればよい。

会話を描くのが一番難しい

「会話」は「動き」よりもルールを作るのがむずかしい。まったく使わなくてもかまわない。だが、もし使うのであれば、普段から公共交通機関で人の会話に耳を傾けて、いくつかの言い方を真似してみよう。「会話」がうまく書けているか、きびしくチェックしたいのであれば（文章はあらゆることを同じようにきびしくチェックしたいが、「会話」はいちばんきびしく確認したい）、声に出して読んだ時にどう聞こえるかを確認するのがよい。アメリカの犯罪小説作家エルモア・レナードは、会話の魅力を最大限引き出すために、それぞれのセリフのあとに「と言った」(said)以外は使ってはならない（すでに触れた。一一三ページ参照）、と言っている。非常にすばらしいアドバイスだ。

最後に「会話」から話が逸れるが、レナードに並ぶ犯罪小説作家レイモンド・チャンドラーのアドバイスを考えてみよう。

迷ったら、ひとりの男が銃を手にしてドアから入って来るようにすればいい。

これは完璧に物語を伝える文章だ。なぜなら次の要素が含まれている。

1「動き」 ストーリーとしては、先ほどのデイヴィッド・マメットのテンプレートで言えば、「主人公を木に登らせた」ということになる。そしてあなたの読者は「今度は男が出てきたけど、こいつは何を望んでいて、それを手に入れるために何をしようとしている?」とはらはらしているだろう。あなたが望んだとおりだ。

2「描写」「迷ったら、ひとりの男が銃を手にしてドアから入って来るようにすればいい」には、形容詞はひとつもなく、男、ドア、銃、手が使われているだけ。どれもどんな作家も使うごく単純で、意味の明確な名詞だ。だが、(特徴的な文体をまるで持たず)ごく単純な語を使うこと自体がスタイルだ。ひょっとすると、これはもっともむずかしい執筆スタイルかもしれない。余計な言葉を使わずに、意味のはっきりした短い語で言いたいことをまっすぐに伝えなければならないからだ。

描写──六つの感情、五つの感覚を呼び起こせ

人間は誰もが六つの感情を持つ。あなたがすべきは、この六つの感情をあなたの言葉によって、さらには主人公の悩みを通じて、読者に呼び起こすことだ。喜び、悲しみ、恐れ、怒り、驚き、嫌悪の感情を、読者の心に喚起するのだ。

アメリカの心理学者ポール・エクマンは、どの国の人も自分ではない人にこの六つの感情を認識できることを発見した。六つの感情は普遍的だ。よって「会話」を通じて情報を伝えるだけでなく、登場人物の気持ちを表現する必要がある（もちろん「動き」も「描写」も同じことができる）。

最後になるが、わたしたちは皆、五つの感覚を持っている。よって、「描写」を通じて、あなたの物語の世界がどんなふうに見えるか、聞こえるか、感じるか、どんなにおいがするか、どんな味がするか、読者に伝えなければならない。

ウィリアム・フォークナーの小説『響きと怒り』の語り手のひとりクエンティン・コンプソンは、「一九一〇年六月二日」と題された章で、「遅いというにおいを感じた」と言っている。マルセル・プルーストの非常に長く入り組んだ小説『失われた時を求めて』は、語り手がマドレーヌを味わう場面から始まる。五感を呼び起こすことで、物語がリアルに感じられる。

「借金を抱えて生まれたように見える男だ」と、映画評論家のライアン・ギルビー（『インディペンデント』『ニュー・ステイツマン』などに寄稿している）が俳優のスティーヴン・レイを評

した。ギルビーはスティーヴン・レイの外面に見て取れるもの（顔）から、内部に感じられることと（一生借金を抱えているような印象）を表現したのだ。このトリックができるなら、すばらしい。というのは、わたしたちは物語を読むにあたって、ある人物の内面はどうであるか、何がその人を動かしているのか、やはり興味を持たずにいられない。だが、わたしたちに見えて、視覚以外の四つの感覚によって感じ取れるのは、外側にあるものだけだ。よって、外面に見て取れるものと内部に感じ取れるものを統合する術を見出せれば、すばらしいことが実現できる。

ジョージ・オーウェルは、「人間、五十歳になれば、ふさわしい顔になる」という言葉を残したと言われる。これも、性格（内面）が顔（外面）に現れる、と言っているし、こちらのほうがよく知られているかもしれない。ロアルド・ダールも『アッホ夫婦』（ｐ35）で確か同じようなことを言っていたと思う。

読者に何かを体験させよ

主人公にある問題を抱えさせたのであれば、つづいてどうすればその主人公に対して読者の共感を得ることができるか、考えなければならない。読者に主人公が抱えている問題を理解してもらうだけでなく、感じてもらわなければならないのだ。これは「動き」に表現される。

腐った巨大な枝がトニーの上に落ちてきて、トニーは膝が粉々になり、その場から動けなくなった。

「会話」（トニーの発言）はこうなるだろう。

「うわあ！」と彼は大声を上げたが、誰の耳にも届かなかった。誰もいなかったのだ。

一方、「描写」はこうなるだろう。

見渡す限り森が広がっていたが、それほど広くなかった。夜が深まり、気温が下がり、遠くでオオカミの吠える声が大きくなった。こちらに近づいてきているのかもしれない。

オオカミについて記した（三文からなる）この描写は、ひとつのパラグラフで決着がつく物語であれば、最初に出すこともできるし、中間に置くこともできるし、最後に読ませることもできる。凶悪集団から逃げ延びた主人公の最後の戦いかもしれない。オオカミとの対決を告げるものかもしれないし、謎の人物に救われるが、その後連れ去られるという展開になるのかもしれない。

大事なのは、読者に実際に何かひとつ経験してもらうことだ。「プロット（話の筋）」や「動き」は、読者の心に興味をそそる感情やイメージを植え付ける手段に過ぎない。

わたしはこの問題をいたるところで繰り返しているが、ここで非常に重要なのは、すべて提案であり、規則でもガイドラインでもない、ということだ。執筆中に規則などはまるで考えられないだろうし、考える必要もない。チェックリストに従っているだけでは、想像力や個性を発揮できない。そこでは自分にあったものだけを選んで、残りは無視すればいいのだ。インスピレーションが枯渇した時だけ、ここに戻って来ればよい。

スピルバーグが驚きや恐怖の表情を描く理由

わたしは映画が大好きだ。そして視覚はわたしたちの五感でもっとも重要であるから、「描写」について考える最善の方法は、自分のストーリーを映画のように書くことだと思う。自分のストーリーを映画のように書くことは、何を描写するか（何が読者の注意を引くか）だけでなく、どう描写するかを考える上でも非常に役立つ。もっとも端的な例を挙げれば、これはクローズアップで描くべきか（たとえば「起爆装置を操作する彼女の目に汗が流れ込んだ」といった描写だ）、それともロングショットでいくべきか（「見渡す限り平坦な砂地が遠くに広がっている」といった描写だ）、考えることになる。

スティーヴン・スピルバーグは現代のもっとも人気のある映画監督のひとりだが、その理由のひとつにスピルバーグが主人公の感情を見せてくれることがあると思う。スピルバーグのほぼすべての映画に、主人公が何か驚くものに遭遇したり、恐ろしいものを突きつけられたり、その両方を経験する場面がある。だが、スピルバーグはこの驚くものや恐ろしいものをその場で明かすことはない。それは一体何だろうかと映画を観る者をはらはらさせるのだ。これもストーリーを語る上で用いるべき強力な技法となる（観る者がその瞬間に知らなければならないことを伝えるだけで、最高に強力な場面は最後まで明かさない。人間は元来非常に知りたがりだから、サスペンスが強力に機能する）。

だが、スピルバーグはサスペンスを作り出しているだけではない。驚くべき光景を見せる前に、必ず主人公の顔を映し出すのだ。主人公の驚きや恐怖の表情を目にすることで、観客も同じ感情を抱く。そのあと彼らが見ていたものをついに目にすると、わたしたちも非常に強く反応する。主人公の驚きや恐怖の表情が画面から消えると、主人公を外から見ていたわたしたちは、いつのまにか彼らと感情を共有している。

2 偉大な作家と勝負しよう

「名作小説の二番目の文章」を自分で考えてみる

すぐれた文章はすぐれた読書から生まれるし、ほかの著者の声を模倣できる能力によってそれがもたらされる。どんな作家もほかの作家の影響を受けて書き始める。

T・S・エリオットによれば、「未熟な詩人は模倣する。成熟した詩人は盗む」。ほんの少しであれば、いいと思うものは好きなだけ盗めばいい。物語の展開やプロットではなく、登場人物の描写を取り込むのであれば、盗んだとはまず思われない。

だが、一九九一年、オックスフォード・ゲーム社によって発明されたエクス・リブリスは、模倣を競い合うものだと思う。このエクス・リブリスは、本が十冊ほど、そして対戦者がひとりいればプレイ可能だ。

どんなふうに遊ぶかというと、まずは一枚の紙を取って四つ折りにする。そしてそれを広げる。

つづいて、対戦者が読んでいない、もしくは一年以上前に読んだ小説を取り上げる。折りたたんだ紙の上のふたつのスペースに、その小説の最初の一文を書く（「はじめに」や「序」に記されたものではなく、第一章の見出しの次に記された本文の第一文だ）。上のふたつのスペースどちらにも、その最初の一文を書いてみる。

下のふたつのスペースのどちらかに、その小説の二番目の文を書いてみる。そして残った最後のスペースに、自分で考えたその小説の二番目の文を書くのだ。

これによって、ヴァージニア・ウルフ、ジョージ・エリオット、あるいはジョナサン・フランゼンなど、自分よりすぐれた古典的作家や人気作家の小説の第一文と第二文をじっくり観察できる。そしてたった一文を書くだけだが、彼らのような偉大な作家たちと張り合い、彼らの仲間入りを果たすことができるのだ。

「マシュー、今夜、わたしは……アンソニー・トロロープになる」

そして四つの文が書かれた紙を対戦者に見せて、下のスペースに書かれた文のどちらがその作家が書いたものか、判断させるのだ。対戦者が本物の文を言い当てれば、一ポイント獲得。あなたが書いた文章を本物と言えば、間違いと判断され、あなたに一ポイント与えられる。

ここで、ちょっとしたアドバイスがある。小説の二番目の文は単語を一語か二語変えただけでは完全に変えることはできないので、次のルールを設けたらどうだろう？

1　二番目の文を書くにあたって、本物の二番目の文にも使われている「三字より長い語」は

使えないとする（すなわち、作家が書いた二番目の文にあるtheやa, anやgetやI, you, he, she, areなどの一文字、二文字、三文字の単語は使えるが、very, take, fine, goodなどの四字以上の語は使えない）

2　対戦者は、なぜその文を選んだのか、理由を述べなくてはならない。これによって、スウィフトやオースティンやディケンズやヴァージニア・ウルフの作品と同じくらい、お互いが書いた「作品」をきびしく吟味することになる。

どの作家も最初の一文をどう書くべきか、頭を悩ませる。本になった最初の一文は、作家たちがわずかな言葉で多くを伝えようと、悩みに悩んで書き出したものだ。だから書き出しの一文は十分に吟味する価値がある。

以下に、ふたつの文章の組み合わせ（例1、例2）からなる例題を三つ示した。それぞれの二番目の文はどちらが本物か、調べればすぐにわかるので言わない。最初の文（太字にした）はすべてある小説の書き出しの一文だ。それにつづく二番目の文を書いてみよう。書き出しの一文はどれもすごくよく知られているから、ネット検索をかければ、どちらが本物で、どちらが誰かが書いた偽物か、すぐにわかる。

ここで求められるのは、対戦者に本物の文ではなく、自分が書いた二番目の文を選ばせることだ。

［例題］

例1　ここにあることは、まあ、大体そのとおり起った。とにかく戦争の部分はかなりのところまで事実である。

例2　ここにあることは、まあ、大体そのとおり起った。もしわたしが嘘をついているとしても、真実のためにそうしたと理解してもらえるだろう。

正解は例1。カート・ヴォネガット『スローターハウス5』

例1　きょう、ママンが死んだ。もしかすると、昨日かも知れないが、私にはわからない。

例2　きょう、ママンが死んだ。わたし以外のほか六人の子供たちより長生きしたが、望んだわけではない。

正解は例1。アルベール・カミュ『異邦人』

例1　若く傷つきやすかった頃、父に助言をもらい、それから何かあるたびにそれを思い出す。「誰かを批判したい時は」と父は話してくれた。「思い出すんだ。世間の誰もがおまえのように恵まれているわけじゃないって」

例2　若く傷つきやすかった頃、父に助言をもらい、それから何かあるたびにそれを思い出す。「金を借りる者でも貸す者でもない」と父は話してくれた。「賢明な言葉なのかもしれないが、おかしなことを言うのは銀行家だ」

正解は例1。F・スコット・フィッツジェラルド『グレート・ギャツビー』

どうだろうか？　では今度は、次の練習問題に示した有名な小説の書き出しを見てみよう。それぞれの書き出しに続く文を見つけると同時に、それに代わる自分の文を書いてみよう。慧眼《けいがん》なる対戦相手の判断を迷わせる見事な文が書けるだろうか？

【練習問題】

なにごとも、始まりにおいては、バランスが適正であるように、細心の注意を払わなければならない。

フランク・ハーバート『デューン 砂の惑星』

その日、祖母が爆発した。

イアン・バンクス『クロウロード』

幸福な家庭はどれも似たものだが、不幸な家庭はいずれもそれぞれに不幸なものである。

トルストイ『アンナ・カレーニナ』

港の空の色は、空《あ》きチャンネルに合わせたTVの色だった。

ウィリアム・ギブスン『ニューロマンサー』

ある朝気持ちの悪い夢から目覚めると、グレゴール・ザムザはベッドの上で巨大な虫に変身していた。

フランツ・カフカ『変身』

おわりに　CONCLUSION

「囚人のジレンマ」を超えて――未来のエリートに求められるもの

さて、きみは銀行強盗で、捕まってしまった。ついてないな。きみの仲間も捕まった。きみたちふたりが口裏を合わせられないようにそれぞれ別々の部屋に入れられてしまったが、仲間もこの署内のどこかにいる、ときみはわかっている。すると、尋問中に刑事に取引を持ちかけられた。仲間を売れば、きみは晴れて自由、仲間は十年の懲役を受ける。何も言わなければ、きみは一年の懲役だ。どちらを選ぶ？　仲間を売って、無罪放免？　それとも何も言わずに一年服役するか？　きみはその仲間をどれだけ好きだろうか？　忠誠心にどれだけ価値がある？

そこできみは思う。仲間も同じ署内のどこかで、同じ取引を持ちかけられたはずだ。あいつが僕を裏切って僕を売れば、あいつは自由だ。黙っていれば、一年臭い飯を食う。そうだ、まちがいなく向こうも同じことを考えているはずだ。さて、仲間はきみを裏切って自由を手に入れるか、それとも口をつぐんで一年ムショにいるか？

もうひとつ考えられる。もしきみたちがふたりともおたがいを裏切れば、ふたりとも十年の刑だ。きみたちの取り調べにあたっている者たちは、実はそれを願っている。ことわざにあるとおり、「盗人には仁義などない」と思っているのだ。で、きみはどうする？　自分は黙秘し、彼も同じように黙秘し、ふたりで一年刑務所で過ごすのを望むか？　一年なんてすぐじゃないか。それとも、仲間はきっと黙っていてくれるから、その仲間を裏切って、自由の身になることを選ぶか？　仲間も同じように考えれば、きみたちふたりとも十年のムショ入りだ。さてどうする？

アメリカの軍事研究機関で考案された思考実験

白状すると、今わたしが話した筋書きは、ふたりの銀行強盗がたがいに相手を裏切るかどうかを問うものではもちろんない。皆さんも思っているんじゃないだろうか、わたしが緊迫感に満ちた、どちらを選ぶかという葛藤を強く迫る筋書きを書き上げて、「きみはどうする？」とたずねたのは、もっとリアルで、もっと怖いものに見せたいからだ、と。

「きみはどうする？」というこの質問は「思考実験」というものだが、これは人間の行動を何か抽象的で面白くない方法で説明するために考案された。ひょっとすると、この「思考実験」は列に並んだ人たちはどんな行動を取るかとか、あるいは人々はどんな車を選ぶかといったことに関係しているのではないか、と思うかもしれない。

そうであれば問題ない。ところが「囚人のジレンマ」というゲームは、一九五〇年にアメリカの軍事研究機関、ランド研究所で考案された。一九五〇年といえば、ソビエト連邦が核爆弾を開発した翌年であり、アメリカが広島と長崎にその爆弾を一個ずつ落とした五年後だ。ランド研究所で「囚人のジレンマ」のゲームが考案されたことで、アメリカとソ連は冷戦に突入することになった。一般に一九九一年のソ連の崩壊によって冷戦は終結したと考えられているが、アメリカもソ連崩壊後に成立したロシアも相手国を完全破壊する力を持ち続けているから、決して終わっていない。加えて、中国、イギリス、フランス、イスラエル、インド、パキスタン、北朝鮮など、核保有国は年々増えている。

この「囚人のジレンマ」というゲームは、アメリカとソ連のあいだで勃発するかもしれない核戦争の可能性を考える方法として考案された。ある国が別の国に突然核攻撃を仕掛ければ、攻撃を受けた国は壊滅的被害を受け、もはや報復できないと考えられていた。銀行強盗のひとりがもうひとりを裏切れば、裏切られたほうは反撃の機会を与えられることはない、という状況に似ている。「囚人のジレンマ」のゲームではどちらのプレイヤーもプレイできるのは一度きりで、両者同時にプレイする。だからどちらのプレイヤーも相手プレイヤーがどんな手を使うかわからず、自分の意志だけで判断する。

結論を述べる。二〇二四年現在、核戦争勃発までの残り時間を象徴的に表す〝終末時計〟の針は零時まで残り九十秒を指している。「終末時計」は、アメリカの専門的科学学術雑誌『ブレティン・オブ・ジ・アトミック・サイエンティスツ』(『原子力科学者会報』)によって管理されている。零時は核戦争がもはや避けられない状態にあることを示す。終末時計は一九四五年の広島と長崎への原爆投下の後の一九四七年に発表されたが、それ以降、終末時計はかなり零時に近い状態にある（終末時計は、核戦争による人類破滅までの残り時間を象徴的に表す。一九四七年の発表以来、零時数分前を推移し、冷戦後の一九九一年に十七分前とされたのが最も緊張が緩和した時期となる）。

「囚人のジレンマ」は元々、核戦争のリスクを懸念し、それを最小限に抑えるために、ランド研究所のメリル・フラッドとメルヴィン・ドレッシャーによって開発された思考実験だ。「囚人のジレンマ」が実際に効果を発揮した可能性はある。なぜなら、まだ核戦争は勃発していないからだ。だが、二〇一七年にロンドンで「現代史において人類の生存に最大限価値ある貢献をした」と讃えられた人物がもたらしたのは、考え抜かれた論理的な戦略というより、個人の直感に基づくものだった。

世界を核戦争から救った英雄――論理か、それとも直感や感情か

この人物はヴァシーリイ・アルヒーポフ。一九六二年、ソ連とアメリカの海軍がキューバ沖で十三日間にらみあったキューバ危機において、アルヒーポフは核兵器を搭載したソ連の潜水艦の三人目の士官の地位にあった。潜水艦の艦長と第二士官は近くで爆発した爆雷がアメリカの軍艦からの攻撃であると思い込み、核魚雷による反撃準備を進めようとした。これが発射されれば、間違いなく全面核戦争を引き起こしてしまう。だが、発射には艦上の三人の上級士官の合意が必要で、アルヒーポフは三番目の士官として、艦長と第二士官にきびしい言葉を突きつけられなが

らも、アメリカの爆雷は攻撃ではなく警告射撃であったと信じ、核魚雷の発射を拒否した。

一九六二年のあの日、ヴァシーリイ・アルヒーポフは一度限りの「囚人のジレンマ」のゲームをプレイした。ランド研究所で考案された理論的なゲームの形態と異なり、あの日のアルヒーポフは相手がどんな手を使ってくるか、あるていど見当がついた。何百メートルもの水中下の狭い密閉された部屋で、相手は自己利益のために行動する、あるいは裏切る、あるいは攻撃することをすでに選び取っており、アルヒーポフに壊滅的な結果がもたらされる可能性は非常に高かった。それでもアルヒーポフは直感ひとつでアメリカへの協力を選び、平和を守り、発射を拒否した。論理だけでなく、直感や感情が大きな役割をはたしたに違いない。この英断でヴァシーリイ・アルヒーポフは核戦争を防ぎ、まさに世界を救った。数字だけ見ればアルヒーポフは何十億人の命を救ったのであり、人類史上最大の英雄だ。だが、核兵器は今も存在し、将来また別の英雄が求められる可能性はある。そんな事態にならないことを祈ろう。

ここに教訓があるとすれば、思考実験はどれも人間の行動をモデル化するだけで、常に複雑な現実を単純化し、歪めるだけだ、ということだ。ヴァシーリイ・アルヒーポフが置かれたような現実の状況下でわれわれがどんな反応を取るかを予測するのは非常にむずかしいし、敵の反応を予測するのはそれ以上に困難だ。こうした状況では、思考実験のような論理に基づくモデルが示す例より、直感や感情が確かに大きな役割をはたす。ヴァシーリイ・アルヒーポフが取った行動を考えればまさにそうで、彼のおかげで人類は救われたと胸をなでおろさずにいられない。

追伸　作者の人格を紙に蒸留したもの――それが本である

「忘れられないのは奇妙なことだ」

ジェイン・アン・フィリップスの一九八四年の小説『マシン・ドリームズ』は、奇妙なことに、この忘れがたい一文で始まる。

正直、読者の皆さんは十年後にこの本に書かれたことを何か思い出すだろうか？　いくつか覚えていてもらえるだろうか？　人間は忘れる動物だし、記憶には限りがある。必要なことだけはしっかり脳に焼きついているだろうと願うしかない。それでいい。なぜなら、この本にはもうひとつ目的があったからだ。

もし本というものが、それを書いた人物の人格を紙に蒸留したものであるとすればどうか？　わたしはそう思うし、そう思わなければこんなことは言わない。だからこの本があなたに特別な感情を与えられたと願っている。信じてもらえたらうれしい。

世界には興味深いものがあるし、すべてただ面白いという理由だけで知る価値がある、そして知りたいと思えば、何でも知ることができる。

最後に、（そうは思えないかもしれないが）この本に書かれたことにも楽しいものがあると感じてもらえたら、これほどうれしいことはない。

＊本書で言及されている作品のうち、以下のものは翻訳書から引用しました。

ジョージ・オーウェル『動物農場　おとぎばなし』（川端康雄訳、岩波文庫）
ルイス・キャロル『不思議の国のアリス』（河合祥一郎訳、角川文庫）
オスカー・ワイルド『ドリアン・グレイの肖像』（富士川義之訳、岩波文庫）
Ｌ・Ｐ・ハートレー『恋』（森中昌彦訳、角川文庫）
マーク・トウェイン『ハックルベリー・フィンの冒けん』（柴田元幸訳、研究社）
Ｊ・Ｒ・Ｒ・トールキン『新版 指輪物語〈1〉/ 旅の仲間』（瀬田貞二訳、評論社）
カート・ヴォネガット・ジュニア『スローターハウス５』（伊藤典夫訳、ハヤカワ文庫SF）
カミュ『異邦人』（窪田啓作訳、新潮文庫）
フランク・ハーバート『デューン　砂の惑星』（酒井昭伸訳、ハヤカワ文庫SF）
トルストイ『アンナ・カレーニナ』（中村融訳、岩波文庫）
ウィリアム・ギブスン『ニューロマンサー』（黒丸尚訳、ハヤカワ文庫SF）
フランツ・カフカ『変身』（高橋義孝訳、新潮文庫）

＊本書の日本版刊行にあたり、著者と編集部による協働作業のもと一部加筆修正を加えました。

著者　ジョー・ノーマン Joe Norman
英国最古の名門パブリックスクール（中高一貫校）であるウィンチェスター・カレッジで学び、オックスフォード大学へ進学。卒業後は英国名門パブリックスクール専門の受験教師として、20年にわたり数百人にのぼる受験生たちを指導。教え子の約半数が英国名門パブリックスクールのなかでも最難関校であるイートン、ウェストミンスター、ウィンチェスターに合格。スーパー・チューター The Super Tutorと称される。

訳者　上杉隼人
早稲田大学教育学部英語英文学科卒業、同専攻科（現在の大学院の前身）修了。主な訳書にマーク・トウェーン『ハックルベリー・フィンの冒険』（講談社青い鳥文庫）、ジョン・ル・カレ『われらが背きし者』（共訳、岩波現代文庫）、ジョリー・フレミング『「普通」ってなんなのかな』（文藝春秋）などがある。

DTP　エヴリ・シンク
装丁　関口聖司
編集　衣川理花

英国《えいこく》エリート名門校《めいもんこう》が教《おし》える最高《さいこう》の教養《きょうよう》

2024年4月10日　第1刷発行

著　者　ジョー・ノーマン
訳　者　上杉隼人《うえすぎはやと》
発行者　大沼貴之
発行所　株式会社文藝春秋
〒102-8008 東京都千代田区紀尾井町3-23
電話　03(3265)1211

印刷所　図書印刷
製本所　図書印刷

定価はカバーに表示してあります。

ISBN978-4-16-391830-3　*Printed in Japan*